PQ6081 ROD

450.

LA TRANSMISIÓN DE LA POESÍA ESPAÑOLA EN LOS SIGLOS DE ORO

Letras
e ideas

Maior, 5

LETRAS E IDEAS

Dirige la colección
FRANCISCO RICO

Antonio Rodríguez-Moñino

LA TRANSMISIÓN
DE LA POESÍA ESPAÑOLA
EN LOS SIGLOS DE ORO

DOCE ESTUDIOS,
CON POESÍAS INÉDITAS O POCO CONOCIDAS

Prólogo y edición al cuidado de
EDWARD M. WILSON

EDITORIAL ARIEL
Barcelona - Caracas - México

Cubierta: Alberto Corazón

© 1976: Rafael Rodríguez-Moñino Rodríguez, Valencia

Depósito legal: B. 27.286 - 1976
ISBN: 84 344 8323 8

Impreso en España

1976. — I. G. Seix y Barral Hnos., S. A.
Av. J. Antonio, 134, Esplugues de Llobregat (Barcelona)

PRÓLOGO

Don Antonio Rodríguez-Moñino era el rey de la bibliografía española. Ni el mismo Bartolomé José Gallardo, a quien tanto admiraba y cuyas obras fueron tan bien estudiadas por él, podría disputarle tal título. En otro lugar he tratado de resumir las grandes cualidades personales e intelectuales de don Antonio: ahora me limito a añadir unas notas sobre los trabajos aquí reunidos y a hacer resaltar la importancia que pueden tener para los que se interesan por la historia de la transmisión poética durante los Siglos de Oro, para los que se dedican a apurar los textos poéticos de aquellos tiempos y aun para los aplicados a la crítica literaria de la poesía española del pasado. Los principiantes en tales disciplinas encontrarán aquí modelos de rigor descriptivo y de paciente análisis, sugerencias para otros trabajos, datos nuevos que iluminan la historia de la poesía en la España de los Felipes y detalles interesantes sobre las obras y sobre los autores de aquella edad.

Otros dos libros de este mismo tipo publicó don Antonio: Curiosidades bibliográficas (1946) y Relieves de erudición (1959). En ambos exhibió las mismas dotes positivas (y a veces positivistas) que aquí. Se trata de estudios aislados, unidos por la mente de quien dominaba todo el campo hasta entonces explorado e imprimió un sello personal y un rigor de científico a todo lo que salió de su pluma. Los dos libros precedentes tenían un contenido más variado que el que ahora publicamos; trataron de varios géneros literarios y de diversas épocas. Éste se confina

*casi exclusivamente a la poesía de dos siglos, y por esta razón
tiene una mayor unidad que ellos.*

*La ordenación de estos trabajos ha sido para mí un pro-
blema. No sé si el criterio adoptado será aceptable para los lectores de este libro. Un orden rigurosamente cronológico, según
los años de publicación de los mismos trabajos, podría reflejar
algo de la historia de los intereses eruditos de Rodríguez-Moñino, pero diría poco a quienes no hayan tenido conocimiento
personal de su autor. Otra ordenación posible sería según la
cronología de los autores o de los textos estudiados; pero no
sabemos las fechas exactas de la vida de algunos de aquéllos ni
las de composición de mucho de éstos. Por estas razones me
he decidido a ordenar estos estudios de otra manera, proce-
diciendo de lo mejor conocido a lo generalmente ignorado: desde
Góngora, Lope de Vega, Medinilla, Medrano, Díaz Tanco y
Soria Galvarro, pasando por el romancero y terminando con un
poeta de la literatura de cordel y un humilde jacarista de mediados del siglo XVII. De este modo procedemos de lo que tiene
mayor interés estético o de creación personal a los problemas
que surgen con respecto a la poesía anónima de tipo tradicional
(romances viejos y romancero nuevo) y después a la literatura
callejera y de cordel.*

*El primer artículo, sobre uno de los más famosos romances
de Góngora, es poco conocido por los gongorinos de hoy. Vale
la pena reimprimir este trabajo de la juventud de don Antonio
(lo escribió a los veinte años), no sólo porque puede ayudar a
la fijación del texto, sino porque da luz también sobre la confusión de lecturas existentes en los manuscritos y en las glosas
de aquella época. (Hemos añadido una nota sobre otros textos,
entonces desconocidos, que quizá pueden utilizarse para el
estudio de tan brillante poema.)*

*Saltamos desde el año 1930 hasta el de 1969, desde la obra
de un aficionado hasta la de un erudito ya completamente formado y maduro: también desde una apreciación de un romance
de don Luis de una gran belleza, hasta la elucidación de un poema muy literario de su émulo Lope de Vega. Durante la segun-*

da mitad del siglo XVI son frecuentes las citas de versos aislados de Garcilaso en las obras de los poetas italianizantes; y en la centuria siguiente los seguidores de Góngora hicieron a su maestro el mismo tipo de homenaje. Moñino nos enseña cómo Lope no solamente sigue esta moda con respecto a los dos poetas ya mencionados sino que la amplifica, citando versos y estrofas de otros poetas, famosos algunos, olvidados otros: de manera que tenemos en este artículo un ejemplo máximo de citas ajenas con un propósito consciente y deliberado. La poesía culta se vuelve refrán. Especialmente notable en este trabajo es la identificación de poesías manuscritas (ignoradas de los lectores modernos) y en algún caso de obras todavía no impresas.

Entre las poesías recogidas en el manuscrito que contiene la historia de las justas toledanas de 1614 en honor de santa Teresa, hay algunas del fino poeta y amigo de Lope de Vega, Baltasar Elisio de Medinilla. Las mejores, aquí incluidas, merecen un buen lugar en la historia de la poesía religiosa española. Parece mentira que no tengamos una edición de las obras de tal poeta, elogiado por tantos lopistas insignes. Aquí, por lo menos, van algunas muestras de su musa utilizables para ese fin.

De Francisco de Medrano, en cambio, existe la admirable edición crítica de Dámaso Alonso y de Stephen Reckert. Las investigaciones de Moñino han añadido buen número de poesías nuevas que difieren mucho de las odas horacianas y de los finos sonetos del vate sevillano. Gracias a los perspicaces razonamientos de nuestro crítico, no puede haber dudas sobre la atribución de estos romances. Pertenecen a la escuela de la poesía divinizante del último decenio del XVI, basados en romances de Góngora, de Juan de Salinas y de poetas anónimos de aquella época. Si de un lado nos hartamos con tanto retruécano y con tanto juego de palabras (pecho / pagar pecho; Domingo / domingo; callaré los callos; menoscabo / menor cabo, etcétera), hay piezas que nos revelan algo de los conflictos espirituales del joven jesuita —por ejemplo, el romancillo que empieza: «Dulces almendrillos...»—.

Los dos poemas de Soria Galvarro descubiertos por don Antonio hasta ahora han tenido poca resonancia entre los amantes de la buena poesía castellana. Parece que quedan todavía algunos rastros de la prevención con respecto a lo elegíaco expresada durante los años veinte por Croce y por Bremond. Ya que —gracias a Cossío y a Dámaso Alonso— sabemos apreciar hoy los grandes méritos de la Epístola a Arias Montano *y la* Epístola moral *de Andrada, estos dos poemas de Soria deben ganar a otros lectores, aunque quizá no tengan la misma calidad poética que las dos famosas obras citadas.*

La conferencia sobre la poesía hispanoamericana virreinal ha tenido algún eco en los Estados Unidos. Tiene algo de la amplia perspectiva lograda en la ya famosa Construcción crítica *(que lamentamos no poder imprimir aquí) y en el discurso de ingreso pronunciado por Moñino ante la Real Academia Española. No creo yo que ahora sea posible suprimir la palabra* latinoamericano, *utilizada ya por tantas cátedras, sociedades e instituciones extranjeras. Pero quédese la protesta individual, muy típica de su autor. Es muy interesante la vida de este Martín de León, y las poesías citadas dan fe de lo que se puede encontrar en las exploraciones de los fondos manuscritos de las grandes bibliotecas con respecto a la poesía virreinal.*

El trabajo siguiente —sobre Vasco Díaz Tanco en Bolonia— es de interés más erudito que crítico. No me propongo detenerme en él, sino para decir que revela la agudeza y la erudición de su autor.

Los estudios de romances, de 1962 y de 1963, aunque tratan de iluminar puntos oscuros de la historia literaria del romancero, revelan también textos viejos desconocidos. El primero contiene una versión desconocida de «La muerte de Baldovinos» y otra sobre la pérdida de Antequera; el segundo nos da un texto desconocido y muy pobre sobre la muerte de la Reina Católica, y otro mejor sobre la juventud del conde Fernán González. Ambos artículos corrigen y suplementan con nuevos datos la gran obra de don Ramón Menéndez Pidal. Aquí vemos también cómo utilizó don Antonio en aquellos estudios pliegos

*sueltos desconocidos por el gran medievalista de nuestro siglo.
También es interesante la noticia del centón de Diego Sánchez
de Badajoz y el descubrimiento del primer romance de germanía.*

De los trabajos sobre el *romancero nuevo* imprimimos aquí
el estudio sobre los romances derivados de La Araucana de don
Alonso de Ercilla. *Estas obras amplifican o condensan varios
episodios del gran poema, y a veces reflejan el ardor y aun el
salvajismo de la lucha entre españoles e indios araucanos, además de las historias intercaladas en él de la india Lauca o de
los amores de Guacolda y Lautaro. Aquí no alega don Antonio
nuevos textos, pero especifica con detalles las cuestiones de
transmisión, estudiadas antes por J. Toribio Medina y por
don José María de Cossío. Resulta de la investigación que estos
romances se imprimieron y siguieron reimprimiéndose desde
1589 hasta 1604.*

Del *romancero nuevo* descendemos a las quintillas de cordel,
coplas de ciego, de fines del XVI y de principios del XVII. *Este
ensayo trata de los pliegos sueltos atribuidos a cierto Cristóbal
Bravo, «privado de la vista corporal» y natural de la ciudad de
Córdoba. Nada más sabemos de este «ruiseñor popular», cuyas obras circularon entre la gente desde 1572 hasta 1857.
Si sus testamentos burlescos son inocentes, la obra intitulada*
Angustias de la bolsa *tiene cierto mérito entre la clase de las
callejeras. De todos modos los datos aquí reunidos demuestran
la gran continuidad de los pliegos sueltos poéticos durante casi
tres siglos. (Hemos revisado un poco las descripciones de ciertas
impresiones tardías conservadas en bibliotecas inglesas, no
vistas por don Antonio, quien se dejó influir demasiado por lo
abreviado de unas notas mías.)*

Desde el versificador de los pliegos sueltos llegamos a la
descripción de un manuscrito roto y sucio que perteneció a un
recitador popular de la segunda mitad del siglo XVII. *Los versos son burdos y flojos, pero representan el gusto callejero de la
época y nos ayudan en el estudio de las costumbres populares
de aquellos años. Para nosotros también es curioso ver como
incluso estos papeles fueron sometidos a la censura eclesiástica*

—*en algún caso a manos del culto padre Niseno, cuyo comentario, «es para lo que quiere el vulgo», nos parece inmejorable—.*

*El orden de los capítulos de este libro es discutible. Lo he escogido así para seguir la forma de este prólogo. El lector puede seguir otro, si le parece mejor. En cualquier caso tiene unidad el libro. Todos los capítulos tratan de la transmisión de la poesía durante los siglos XVI y XVII españoles; el sello personal de don Antonio Rodríguez-Moñino es evidente en cada página de este tomo.**

EDWARD M. WILSON

Emmanuel College, Cambridge.

* Quiero dar mis más sentidas gracias a doña María Brey de Rodríguez-Moñino por los avisos estilísticos que me dio cuando leyó el borrador de este prólogo. También ha revisado ella algunas correcciones hechas en el texto de los artículos de don Antonio.

ABREVIATURAS

ALM	*Anuario de Letras*
BAE	Biblioteca de Autores Españoles
BH	Bibliotheca Hispanica
BHi	*Bulletin Hispanique*
BNM	Biblioteca Nacional de Madrid
BRAE	*Boletín de la Real Academia Española*
Fil	*Filología*
FyL	*Filosofía y Letras*
HR	*Hispanic Review*
PSA	*Papeles de Son Armadans*
RAE	Real Academia Española
RBAM	*Revista de la Biblioteca, Archivo y Museo del Ayuntamiento de Madrid*
RDTP	*Revista de Dialectología y Tradiciones Populares*
RH	*Revue Hispanique*
RHM	*Revista Hispánica Moderna*
RPh	*Romance Philology*
StP	*Studia Philologica*
ZfB	*Zentralblatt für Bibliothekswesen*

EL ROMANCE DE GÓNGORA «SERVÍA EN ORÁN AL REY...»

(Textos y notas para su estudio)

FyL, Madrid, III, n.º 16 (noviembre 1930), pp. 378-382.

I. EL ROMANCE

Imposible es conocer en toda su valía la obra poética de don Luis de Góngora, sin haber precedido a la labor crítica el estudio depurativo de los textos incorrectísimos que han llegado hasta nosotros.

Indiscutiblemente la tarea es ardua y penosa; pero indispensable. Hay erróneas interpretaciones, erradas interpolaciones de los comentadores, amén de lamentabilísimas erratas que hacen inextrincables determinadas composiciones. Un *de*, un *al* o un *qué*, mal colocados, pueden restar enorme belleza a la más linda poesía.

Para la realización de esta labor benedictina, haría falta cotejar los manuscritos coetáneos, y las impresiones por lo menos hasta de fines del siglo XVII, con el manuscrito Chacón, publicado por Foulché-Delbosc en 1921, y depositario —hasta ahora— del más puro texto de Góngora.[1]

Facilitaría esta labor una buena bibliografía gongorina, hasta ahora no lograda.[2] Las existentes no llenan nuestro deseo, y son susceptibles de numerosas adiciones. Redactarla, habría de ser el primer trabajo de un núcleo de estudios gongoristas, nece-

1. *Obras poéticas de D. Luis de Góngora,* ed. R. Foulché-Delbosc, 3 vols., BH, XVI, XVII y XX, Nueva York, 1921, I, p. 95, n.º 64.
2. Pueden consultarse con algún provecho, entre otros intentos, el de Foulché-Delbosc en la *RH,* XVIII (1908), pp. 73-161, con las notas de Lucien Paul Thomas, «À propos de la bibliographie de Góngora», *BHi,* XI (1909), pp. 323-327. Alfonso Reyes recoge en su libro *Cuestiones gongorinas,* Madrid, 1927, interesantes notas que completándolas podrían servir de base a la deseada bibliografía gongorina.

sario para el mayor conocimiento de un poeta «que, cuando no se pierde, es superior a cuasi todos nuestros mejores, e inferior a ninguno», según uno de los más sabios filólogos españoles.[3]

Tuvimos nosotros el propósito de publicar una edición crítica [4] del romance «Servía en Orán al Rey...» y reunimos algunos datos para ella; pero la escasez de nuestras fuerzas y la necesidad de atender a más perentorios e inmediatos quehaceres nos ha ido alejando poco a poco de nuestro proyecto.

Sin embargo, redactamos estos modestos apuntes, por si alguna utilidad tuvieran para el curioso investigador, limitando las presentes notas a la publicación de un texto desconocido y coetáneo, y a la de tres glosas y reminiscencias del famoso romance.

Ha sido éste impreso repetidas veces, y apenas hay una crestomatía o florilegio de nuestro pasado literario en que no figure en puesto preeminente. Castro y Durán le incluyeron en sus respectivas colecciones de la Biblioteca de Autores Españoles, y Menéndez Pelayo avaloró, insertándolo, su bello tomito de *Cien mejores poesías*.

Sin embargo, nosotros, al leerlo repetidas veces, con la admiración con que siempre nos hemos deleitado en la lectura de la obra poética del lírico hispano, notamos, tras detenido examen, algunas incorrecciones que indudablemente achacamos a vicios de las repetidas copias.

En efecto, basta pasar la vista por los versos del romance para convencerse de que no es posible que en ese estado saliese

---

3. El infortunado don Juan Leandro Jiménez y Jiménez, doctísimo lingüista, en su *Disertación histórico filosófica sobre los mayorazgos y vinculaciones*, Sevilla, 1846. Fue además autor de obras tan interesantes como el *Lexicon de voces y frases que faltan a los diccionarios de la Academia Española*, manuscrito inédito de dos tomos en folio, fechado en Cabeza de Buey, 1848, y la *Lección poética*, carta (inédita) interesantísima, extensa, escrita a su paisana la poetisa doña Vicenta García de Miranda, que constituye un precioso tratadito de estética literaria postromántica. Está sin publicar en la selecta librería de mi amigo don Joaquín Martínez de la Mata y Cabeza de Vaca, en Cabeza de Buey.

4. Así lo anunciamos en la p. 43 de nuestro estudio *La imprenta en Jerez de la Frontera durante los siglos XVI y XVII (1564-1699)*, Imprenta Arqueros, Badajoz, 1928.

de la pluma de don Luis, ya que, sobre todo el final, está brus-
camente alterado, dando lugar a que termine con un desentono
y unas frases a todas luces extemporáneas, y que no pueden ser
las originales.

Algo de esto atisbó Chacón, pues en una nota puesta a la
edición Foulché-Delbosc se lee: «*Estos dos últimos quartetes
son agenos, en lugar de otros seis o siete suios, que no se han
podido hallar*». Indudablemente se refiere aquí el anotador a los
versos 49-52 de su edición (53-56 de la nuestra):

> Concededme, dueño mío,
> Licencia para que salga
> Al rebato en vuestro nombre,
> Y en vuestro nombre combata.

Veamos, en la ordenación del romance, como hay alteraciones grandes y faltas que convienen subsanar. Ejemplo de
versos *duros* tenemos en:

> Tan noble como hermosa [...]
> Vestios y salid apriesa [...]
> Yo os hago a vos mucha sobra [...]

Cuya redacción más pura la encontramos en nuestro texto:

> Tan discreta como hermosa [...]
> Vestidos, salid aprisa [...]
> Que yo os hago a vos gran sobra [...]

Faltan, a veces, versos enteros, como entre las líneas 36-37:

> El galán que atentamente
> Se la mira, escucha y ama [...]

Entre las 44-45:

> No lloren ojos hermosos
> Que aquesas lagrimas bastan
> A borrar mis pensamientos
> Y a borrar mis esperanzas [...]

Entre las 48-49:

> Solo una gracia os pido
> Que me sea vuestra gracia
> En las batallas escudo
> Y en las victorias guirnaldas [...]

Y al final, después del verso 52:

> Que de no volver a Orán
> Sin victoria o sin el alma
> Este brazo os lo promete
> Y a Dios mi bien que me llaman.

Con todos estos errores y alteraciones, es, sin embargo, una la redacción que desde la muerte del poeta se ha conocido, bastando sólo repasar las respectivas ediciones para ver que entre ellas no existen más variantes que las puramente ortográficas.

Ahora bien, el texto por nosotros hallado, difiere bastante del que ha venido considerándose como más fijo, que es el del ms. Chacón, impreso —como antes dijimos— por Foulché-Delbosc. Y como estas diferencias son de índole más especial que las de la grafía, merecen un estudio más detallado de los investigadores, porque pueden servir para fijar con una mayor exactitud el texto original.

Fue encontrado el nuestro en la Biblioteca Provincial de Badajoz el verano de 1927, en las guardas del libro *Commentariorum fratis Domenici de Soto, segoviensis, in quartum sententiarum,* impreso en Salamanca, en casa de Andrea de Portonariis, año 1560.

El volumen perteneció, según notas manuscritas, al doctor Pedro Falconero de Herrera,[5] y a un clérigo de menores ór-

---

5. Este doctor Pedro Falconero de Herrera fue canónigo de la S. I. C. de Badajoz, y uno de los que tuvieron relación con las pruebas de limpieza de sangre del doctor Solano de Figueroa. Cf. mi estudio *El Dr. D. Juan Solano de Figueroa (1610-1684),* Imprenta Municipal, Madrid, 1930. Sobre el doctor Falconero véanse las actas de cabildo canónico de la S. I. C. de Badajoz en las sesiones de 3 y 21 de marzo de 1650, 27 de agosto de 1664 y 16 de agosto de 1665.

denes de la villa de Usagre (Badajoz), llamado don Gerónimo
Flores de la Torre. Al primero, en la segunda mitad del siglo XVII, y al segundo, por el carácter de la letra, en los finales
del anterior.

La copia del romance está hecha de mano de don Gerónimo,
y podría corresponder a la fecha de 1587-[1600] que le asigna
Chacón. Junto con ella hay un «[Romance de Usagre]» y una
burlesca carta de pago que nos dan muestra de la festiva vena
de Flores de la Torre, si, como creemos, puede atribuirse a él
la paternidad.

Para que el lector no tenga que acudir a buscar un libro
ya raro, como es el de Foulché-Delbosc, reimprimimos aquí
su texto, junto con el nuestro, con el fin de que puedan apreciarse con mayor exactitud las diferencias que existen.

Como todo texto literario bello y de pequeña extensión,
no le faltaron durante el siglo XVII glosadores más o menos
afortunados, y han llegado hasta nuestras manos tres glosas, dos
de ellas incompletas, y una —curiosa— que refunde el texto
gongorino entre las estrofas de una comedia.

II. Las glosas

La glosa primera sólo está constituida por una cuarteta y
fue encontrada en las guardas de un viejo libro de la Biblioteca
Provincial de Cáceres por don Daniel Berjano. Dice así, en letra
—según el descubridor— del siglo XVI:

> Cierto motilón de ley,
> estando ocioso en la tierra,
> por açer *gente* de guerra
> servía en Orán al Rey.[6]

6. *Commentariorum iuris civilis... autore... Alphonso de Azevedo...*, Alcalá,
1594. Cf. Daniel Berjano Escobar, «Poetas placentinos contemporáneos de Lope
de Vega», *Revista de Extremadura*, XI (1909), pp. 278-279.

Otra de las glosas, desgraciadamente incompleta, que hemos podido recoger, está en un volumen de entremeses, sin principios ni finales, existente en la Biblioteca Nacional de Madrid, procedente de la de don Pascual de Gayangos, cuya signatura actual es *T i. 22.* En la última página, 242, comienza —y lo transcribimos íntegro— el

BAYLE DE «SERVÍA EN ORÁN AL REY»

INTERLOCUTORES:

> *El gracioso.*
> *El galán.*
> *Dos mujeres.*
> *Una dama.*

> *Sale el gracioso.*

GRAC.:   Por un delito de amor
(Si es que ay delito en quien ama
Que merezca por castigo
padecer ausencia larga)
Dividido de su centro,
Apartado de su patria...

TODOS: *Servía en Orán al Rey*
Un español con dos lanças

GRAC.:   Y como el ausencia, al fin,
La muerte de amor se llama,
Los que saben que es amor
Ausencia, muerte, esperança
Al rey a un tiempo servía
Con el amor y la fama...

[TODOS: *Y con el alma y la vida*
A una gallarda africana.]

Aquí termina la última página que existe en el volumen.

Álvaro Cubillo de Aragón, tan influido por Góngora en su obra literaria, intercala en la comedia *Hechos de Bernardo del Carpio* (jornada II, escena última), el texto —refundido— de nuestro romance, percibiéndose claramente no ya sólo conceptos y frases, sino palabras sueltas. Véase a continuación:

BERNARDO: Mucho Bravonel me obliga,
             valiente moro, eso basta
             tu lanza y la mía sobran
             y a mi brazo reguladas
             diré cuando Francia venga
             diré cuando envista Francia
             «Servía en Orán al Rey
             un español con dos lanzas,
             de Bravonel la primera
             por huesped y convidada
             de Bernardo la segunda
             defensora de su patria
             tan leal, que sirve siempre
             a su rey con toda el alma
             y con el alma y la vida
             a una española *gallarda*

REY: Amigos, lo dicho basta
             las obras son las que faltan.

BRAV.:   Despléguense las banderas
             toque el pínfano y la caja

BER.:   Instrumentos militares
             avisen a nuestras armas
             y ellas *al* sol en que adoro
             para que sus rayos salgan
             que los rayos de la luna
             para tanto amor no bastan

REY: Partid Bravonel

BRAV.:   Tu nombre
             celebre en mármol la fama

REY: Adios Bernardo

BER.:   Sea el mundo
             digno blasón de tus armas

TANCREDO: ¡Fuerte ocasión! ¡Grave empeño!

BRAV.:   ¡Suerte heroica!

BER.:   ¡Acción bizarra!

BRAV.:   *Toquen al arma.*

BER.:   A vencer,
             toque el pínfano y la caja
             para que el mundo conozca

que amando a un sol que me abrasa
espuelas de honor me pican
si frenos de amor me paran.

III. TEXTO A (Chacón)

Servia en Orán al Rei
Vn Hespañol con dos lanças,
Y con el alma i la vida
A vna gallarda Africana.
5 Tan noble como hermosa,
Tan amante como amada,
Con quien estaba vna noche,
Quando tocaron al arma.
Trecientos Cenetes eran
10 De este rebato la causa.
Que los raios de la Luna
Descubrieron sus adargas;
Las adargas auisaron
A las mudas atalaias,
15 Las atalaias los fuegos,
Los fuegos a las campanas;
Y ellos al enamorado,
Que en los brazos de su Dama
Oyó el militar estruendo
20 De las trompas i las caxas.
Espuelas de honor le pican,
Y freno de Amor le para:
No salir es couardía,
Ingratitud es dexalla.
25 Del cuello pendiente ella,
Viendole tomar la espada,
Con lagrimas i suspiros
Le dice aquestas palabras:
«Salid al campo, señor,
30 Bañen mis ojos la cama
Que ella me será también,
Sin vos, campo de batalla,
Vestios i salid apriesa

Que el General os aguarda;
35 Yo os hago a vos mucha sobra
Y vos a el mucha falta
Bien podeis salir desnudo,
Pues mi llanto no os ablanda;
Que teneis de acero el pecho
40 Y no aueis menester armas.»
Viendo el Hespañol brioso
Quanto le detiene i habla,
Le dice assi: «Mi señora;
Tan dulce como enojada,
45 Porque con honra i Amor,
Yo me quede, cumpla i vaia,
Vaia a los moros el cuerpo,
Y quede con vos el alma.
Concededme, dueño mio,
50 Licencia para que salga
Al rebato en vuestro nombre
52 Y en vuestro nombre Combata.» *

IV. Texto B (Biblioteca de Badajoz)

Seruia en Oran al rrey
vn español con dos lanças
y con el alma y la uida
a una gallarda africana
5   tan discreta como ermosa
tan amante quanto amada
con el estava una noche
quando tocaron alarma
trecientos ginetes eran
10 deste rrebato la causa
que los rayos dela luna
descubrían las adargas

* Estos dos vltimos quartetes son agenos, en lugar de otros seis o sicte suios que no se han podido hallar. [N. de Chacón.]

las adargas dan auiso
alas mudas atalayas
15 las atalayas al fuego
y el fuego a las ventanas
y ellas al enamorado
que en los braços desu dama
oyo el militar estruendo
20 de las tronpetas y cajas
espuelas de onor le pican
y el freno de amor le para
no salir es cobardía
ingratitud el dejarla
25 de el cuello pendiente ella
uiendole tomar la espada
con lagrimas y suspiros
le dice aquestas palabras
salid al canpo señor
30 bajen [sic] mis ojos la cama
que ella me sera señor
duro canpo de batalla
ue[s]tidos salid aprisa
quel general os aguarda
35 que yo os hago a vos gran sobra
y uos a el mucha falta
el galan que atentamente
se la mira escucha y ama
le responde mi señora
40 tan dulce quanto enojada
no lloren ojos ermosos
que aquesas lagrimas bastan
a borrar mis pensamientos
y a borrar mis esperanças
45 y pues con onrra y amor
conbiene que quede y baya
baya a los moros el cuerpo
y quede con bos el alma
solo una gracia os pido
50 que me sea uestra gracia
en las batallas escudo

y en las uictorias guirnalda
dadme uestra bendición
y permitidme que salga
55　al rrebato en uestro nonbre
y en uestro nonbre conbata.
que de no boluer a oran
sin victoria o sin el alma
este braço os lo promete
60　y adios mi bien que me llaman.

V. Otras notas manuscritas

a) *Romance de Usagre*

en esta ciudad de Usagre
esta un conbento de monjas
que tienen por guardianes
dos frailes de vuenas vocas
el primero es el uicario
tan largo como vna soga
que fraile mas rregañon
no lo abisto en toda Europa
el sigundo es frai pedro
hombre de buena memoria
que es el mas grande estudiante
que tienen todas las monjas
este tiene dos sobrinas
tan bellas y tan ermosas
bien puede estar satisfecho
de tener tan lindas monjas
el las vesa y las abraça
y se derrite con todas
y en estando en de botadas
les dice que son pringonas.

b)   *Obligación burlesca*

se Pan quantos esta carta de Poder vieren como yo jeronimo flores de la Torre, clerigo de menores hordenes que devo y me horligo de dar y Pagar a j.º pardo duçientos açotes y se los *dare.*

NOTA DEL EDITOR

Este romance apareció en varios impresos antes de 1630: *Flor de varios romances nuevos primera y segunda parte, recopilados por Pedro de Moncayo,* Barcelona, 1591, fol. 141 r.º [reimpreso por A. R.-M.]; *Tercera parte, recopilada por Felipe Mey,* Valencia, 1593, fol. 194 v.º [reimpreso por A. R.-M.], y *Obras en verso del Homero español, que recogió Iuan López de Vicuña,* Madrid, 1627, fol. 77 v.º [reimpreso por Dámaso Alonso].

Además habrá que consultar las diferentes ediciones de Gonzalo de Hoces y Córdoba, desde 1633 en adelante.

Para otros dos textos manuscritos en la biblioteca de The Hispanic Society of America, vea el lector el *Catálogo* de don Antonio Rodríguez-Moñino y doña María Brey Mariño, n.ºˢ XXV, 52, y CXLIV, 332.

Otras glosas de este famoso romance están reseñadas por Miguel Herrero García, *Estimaciones literarias del siglo XVII,* Madrid, 1930, pp. 143-157.

El entremés citado por A. R.-M. se encuentra en la segunda parte de *Rasgos del ocio,* Madrid, 1664, pp. 246-251. Hay ejemplar en la colección teatral de don Arturo Sedó, hoy en la Biblioteca del Museo de Arte Dramático de Barcelona. También existe manuscrito en la BNM, n.º 16.292 (15). [E. M. W.]

POESÍAS AJENAS EN «EL LAUREL DE APOLO»

HR, Homenaje al profesor Otis Howard Green, XXXVII (1969), pp. 199-206.

De entre las obras no dramáticas de Lope de Vega, tal vez sea *El laurel de Apolo* la que esté más necesitada de una edición crítica y del preciso estudio. Muchos son los temas que surgen en una lectura rápida, de índole estética y crítica, pero apenas si los investigadores se han acercado a ella más que para extraer catálogos de escritores locales, útil pero fragmentaria tarea.

El benemérito don José Toribio Medina hizo la nota bibliográfica de los autores hispanoamericanos; el muy docto don Narciso Alonso Cortés reunió la de los de Valladolid; otros estudiosos, las de sus comarcas o ciudades, y finalmente mi erudito amigo Dámaso Alonso ha extraído ciertas alusiones relativas a la enemistad entre Lope y el cronista Pellicer.

Quiero hoy identificar algunas de las lecturas de poetas que refleja el *Laurel*: en treinta y dos ocasiones van intercalados fragmentos poéticos de otros autores españoles, en general para justificar las alabanzas que hace de su obra y en dos menciona versos sueltos de Petrarca («Povera e nuda vai Philosofia») y de Dante («Amor che a nullo amato amor perdona»), este último en traducción propia.

Veamos los treinta y dos textos, tal como aparecen en la primera edición del *Laurel* y las identificaciones que proponemos, de las cuales tal vez puedan sacarse consecuencias sobre las lecturas y la memoria de Lope. Tras cada fragmento figura entre paréntesis el folio en que se halla.

1   Aquella voluntad honesta y pura.   (5)

Comienzo de la Égloga III de Garcilaso de la Vega. En las

Obras completas, ed. Elias L. Rivers (Madrid 1964), p. 140.

2 Ay dulces prendas, quando Dios queria! (7)

Funde aquí Lope los dos primeros versos del soneto X de Garcilaso «*¡O dulces prendas* por mi mal halladas, / dulces y alegres *cuando Dios quería!*», ed. Rivers, p. 12.

3 Tu sola, conduzir Diua Maria,
   Puedes mi Musa, à puerto de reposo,
   Puedes, y tu querras; y assi entro cierto
   De hallar à tu diuino Parto, puerto. (7)

Pertenecen a la traducción que hizo Gregorio Hernández de Velasco de *El Parto de la Virgen, poema heroyco de Jacobo Sannazaro,* que se imprimió por vez primera en Toledo, 1554. Los versos figuran en la edición publicada por López de Sedano en su *Parnaso Español* (Madrid, 1771), t. V, p. 70.

4 Que en medio del Inuierno està templada,
   Y en el Verano mas que nieue elada. (7)

Comienzo de la Égloga II de Garcilaso de la Vega. En las *Obras completas,* ed. Rivers, p. 83. Fusión de un terceto que dice así: «*En medio del invierno está templada* / el agua dulce desta clara fuente, / *y en el verano más que nieve elada*».

5 Rompe las venas del ardiente pecho. (11)

Verso 92 de la «Égloga a Don Hernando de Toledo el Tio», publicada en las *Diversas rimas* de Vicente Espinel (Madrid, 1591). Véase en la edición de Dorothy Clotelle Clarke (Nueva York, 1956), p. 104.

6 Estas que me dictò Rimas sonoras. (16)

Dedicatoria al Conde de Niebla de la *Fábula de Poliphemo,*

de don Luis de Góngora, primer verso. Véase en las *Obras,* ed.
Foulché-Delbosc (Nueva York, 1921), t. II, p. 34.

> 7   Osè, y temi, mas pudo la osadia.   (17)

Soneto I de Hernando de Herrera, publicado en *Algunas obras*
(Sevilla, 1582). Véase en la reimpresión de Adolphe Coster
(París, 1908), p. 11. Lope se refiere precisamente a la edición
de 1582, según el contexto, puesto que dice que Herrera «en
sus sonetos comenzó diciendo» y, efectivamente, es la primera
composición que hay en el volumen.

> 8   Al Arbol de vitoria està colgada
>   El Arpa de Dauid, que no de Apolo.   (21)

El soneto cuyos dos primeros versos transcribe Lope atribuyén-
dolo a Berrío se halla publicado como de Cristóbal de Villarroel
por Pedro de Espinosa en sus *Flores de poetas ilustres* (Valladolid, 1605), fol. 166, con ligeras variantes: «Al Arbol de
vitoria està fijada / La harpa de David, que no de Apolo».

> 9   Lleuò tras si los Pampanos Otubre   (22)

Arranque de un soneto de Lupercio Leonardo de Argensola
que se halla en las *Flores de poetas ilustres.*

> 10   Y las Estrellas que hizo Dios mayores,
>   Con pompa digna pisarè arrogante.   (23)

Estos dos versos figuran como de Bartolomé Leonardo de Argensola desde la primera edición de sus *Rimas* (Zaragoza, 1634),
p. 376, con ligera variante: «i las estrellas que hizo Dios mayores / con pompa digna pisaré triunfante». En la edición de
J. M. Blecua (Zaragoza, 1951), pp. 289-290.

> 11   Que mais anos seruira se naon fora
>   Para tan largo amor tan curta à vida.   (25)

Dos versos finales del famosísimo soneto de Luis de Camões
«Sete anos de pastor Jacob servía», que figura ya en la edición
de las *Rimas* de Lisboa, 1595. En la moderna de A. J. da Costa
Pimpão (Coimbra, 1953), p. 147, figura así: «dizendo: —Mais
servira, se não fora / para tão longo amor tão curta a vida».

12   Cantando Alcido vn dia ào son de às agoas.   (26)

Primer verso de la Égloga XIV, «Silvia», de Diogo Bernardes
(1530-1605) que figura en *O Lima* (1596). El texto original
dice: «Cantava Alcido hum dia ao som das agoas». Véase en las
Obras completas con prefacio y notas del profesor Marques
Braga (1945-1946), t. II, p. 99.

13   Sobre el suelo que leda flor no viste
     Horrido toldo la arboleda estiende.   (26)

Segundo terceto del numerado por error canto XXI, debiendo
serlo XXII, fol. 178 r.º de la *Vita Christi* de Manuel das
Povoas (Pedro Craesbeeck, Lisboa, 1614).

14   Arboles compañeros destos Rios.   (28)

Inicio de la «Égloga amorosa» de Francisco López de Zárate,
incluida en sus *Obras varias* (Madrid, 1619). Véase en la edición de J. Simón Díaz (Madrid, 1947), t. I, p. 13.

15   Porcia despues que del famoso Bruto
     Supo y creyò la miserable suerte.   (29)

Los dos primeros versos de un soneto de don Francisco de la
Cueva y Silva, imitación de Marcial. Se halla en el ms. 4127,
p. 171, de la Biblioteca Nacional de Madrid y fue impreso por
vez primera, a lo que creo, en las *Flores de poetas ilustres* de
Espinosa (Valladolid, 1605), fols. 80-81.

16   El prendedero de oro de su dama,   (30)

Pienso que se refiere aquí al terceto de Garcilaso de la Vega
que figura en la Égloga II (ed. Rivers, p. 108): «¡Mi prendedero d'oro si es perdido! / ¡O cuytada de mí mi prendedero /
desde aquel valle aquí se m'á caydo!».

17　Dixo el Amor, sentado en las orillas
　　De vn arroyuelo puro, manso, y lento,
　　Silencio florecillas,
　　No retoceis con el lasciuo viento,
　　Que duerme Galatea, y si despierta
　　Tened por cosa cierta,
　　que no aueis de ser flores
　　En viendo sus colores,
　　Ni yo de oy mas amor, si ella me mira,
　　Tan dulces flechas de sus ojos tira!　　　　(32)

Escribe Lope que los copiados eran los únicos versos que habían
llegado a sus manos de una poetisa a quien sólo llama «Feliciana» y ello ha servido para suponer que se trata de persona
distinta de doña Feliciana Enríquez de Guzmán bien conocida
por su *Tragicomedia de los Jardines y campos Sabeos*, cuya
primera parte se imprimió en Coimbra, 1624 (reeditada en
Lisboa, 1627), y la segunda en Lisboa, 1624, y había además
publicado versos en obras ajenas. Tal vez cabrá pensar que Lope
tuvo noticia de estas obras, si bien no «llegaron a sus manos».
Don Adolfo de Castro estampó los versos, sin indicar la procedencia en sus *Poetas líricos de los siglos XVI y XVII* (BAE,
XLII, p. 544), seguramente tomándolos de Lope.

18　Estos y bien seran passos contados
　　Qual no los dio jamas pie doloroso.　　　　(35)

Lope atribuye estos dos primeros versos de un soneto a Marco
Antonio de la Vega, el famoso poeta laureado por la Universidad de Alcalá, cuya biografía está necesitada de precisiones,
pero la verdad es que se había publicado como de Francisco de
Figueroa en sus *Obras* (Lisboa, 1625), edición que no podía

serle desconocida puesto que al final de ella hay una carta suya
a don Vicente Noguera y unos versos dedicados a Figueroa.
Previamente se imprimió, al menos desde 1582, en el *Romancero historiado* (Alcalá, 1582, fol. 213) con atribución asimismo
a Figueroa, confirmada por texto antiguo en el ms. 2973 de la
Biblioteca Nacional madrileña. De todos modos nada puede
afirmarse en concreto porque la edición del poeta alcalaíno está
llena de obra espúrea o de dudosa autenticidad.

> 19   Tengo vna honrada frente
>   De laurel coronada.   (35)

Dos versos de una «Canción de Fabio», creo que inédita aún,
que comienza «Si en quanto mouer puede mi fatiga», obra del
doctor Francisco de Garay:

> aunque yo aborrezido eternamente
> tengo una honrrada frente
> de laurel coronada
> de muchos y de muchas embidiada.

Figura en el cancionero manuscrito de sus obras que se conserva
en mi biblioteca y del cual di cuenta en la *RHM,* Nueva York,
XXXI (1965), pp. 373-384.

> 20   De passo en passo injusto Amor me lleua
>   Quando dexarme descansar deuia.   (35)

Obras de Francisco de Figueroa (Lisboa, 1625), soneto I. En la
reimpresión de Ángel González Palencia (Madrid, 1943), p. 45.

> 21   Ojos à gloria de mis ojos hechos   (36)

Así principian unas preciosas octavas de Luis Gálvez de Montalvo incluidas en su *El pastor de Fílida* (1582). En la edición
de M. Menéndez Pelayo, *Orígenes de la novela,* II (Madrid,
1907), figuran en p. 421.

22   Que ya mis desuenturas han hallado
     El termino que tiene el sufrimiento.   (36)

Versos finales de un cuarteto que glosó don Alonso de Ercilla y Zúñiga: los publicó por vez primera Sedano (*Parnaso Español,* II, pp. 199-200) tomándolos de un texto manuscrito.

23   Tomando ya la espada, ya la pluma.   (36)

Último verso de la quinta octava en la Égloga III de Garcilaso de la Vega, p. 141 de la edición de Rivers. De aquí procede el famoso verso de Ercilla «La pluma ora en la mano, ora la lanza» que figura como fin de la octava 24 del canto XX de *La Araucana,* así como la versión más popularizada «tomando ora la espada ora la pluma» del soneto III de Lupercio Leonardo de Argensola. Lope no menciona al autor y cita el verso en el pasaje relativo a Cristóbal de Virués.

24   Que el mas seguro golpe de acertarse
     Por darse con mas fuerça sucle errarse.   (37)

Con ligeras variantes aparecen estos versos de don Hernando de Acuña —finales de la octava decimotercera en las «Estancias» que comienzan «Por sossegado mar, con manso viento»— en sus *Varias poesías* (Madrid, 1591). En la edición de Elena Catena de Vindel (Madrid, 1954), p. 221, así: «Que el mas lijero golpe de acertar se / Por dalle con mas fuerça suele errar se».

25   Que a Tansilo, à Minturno, al culto Taso.   (38)

Tercer verso del soneto de Garcilaso de la Vega que lleva el número XXIV en la edición de Rivers, p. 28.

26   Si lagrimas de Amor, si dulces quexas,   (51)

Así comienza la «Elegía en la muerte de doña Catalina de la

Cerda» incluida en las *Obras en verso* del príncipe de Esquilache don Francisco de Borja (Madrid, 1648), pp. 164-170. Con seguridad debió de existir una edición anterior que vio Lope de Vega.

27   Alabeos el callar, que no enmudece.   (51)

Es el último verso de un soneto del Marqués de Alenquer, del cual hay numerosos manuscritos; creemos que se publicó por vez primera en la selección de *Poesías* que hizo Luis Rosales, aparecida en la revista *Escorial,* Madrid, XVI (1944), pp. 109-121.

28   Guardaos, que ya tira
        Joue español el rayo de su ira.   (52)

Dos versos finales de una de las *Octavas dirigidas al Rey Don Felipe nuestro Señor* que figuran en las *Obras* de Francisco de Aldana (Milán, 1589); pueden verse en la edición de Manuel Moragón Maestre (Madrid, 1953), t. I, p. 47. Lope sin duda citaba de memoria, porque el texto antiguo dice así: «Que diga el uniuerso que ya tira / Ibero ioue el rayo de su ira».

29   Para que tanto bien España espere,
        Que nace al mundo quando Christo muere.   (54)

No he podido hallar estos dos versos del doctor don Juan de Solórzano y Pereyra, compuestos al nacimiento de un príncipe, probablemente el luego rey Felipe IV.

30   Loco deuo de ser pues no soy santo!   (62)

De la octava «Yo para que nací, para salvarme», que Lope atribuye al madrileño fray Pedro de los Reyes, hay infinidad de ediciones y copias manuscritas, así del texto sólo como de las glosas que se le hicieron. La paternidad no está fijada aún con certeza.

31   Aqui vereys lo que podeis conmigo
     O lo que puede Dios en vuestra boca.   (63)

Pertenecen al poema de Bartolomé de Segura *Amazona cristiana, vida de la B. M. Teresa de Jesus* (Valladolid, 1619), fol. 55 v.°, y figuran como principio de una octava del canto IV. El libro lleva una aprobación, sin fecha, de Lope, en los preliminares.

32   O tu, que la madexa inobediente.   (70)

Primer verso de *Leandro y Ero, poema heroyco* dedicado a don Juan de Jáuregui por don Gabriel de Bocángel y Unzueta. Es la composición que abre su librito de *Rimas y prosas* (Madrid, 1627). Véase ahora en la edición de R. Benítez Claros (Madrid, 1946), t. I, p. 21.

Hasta aquí las treinta y dos citas de versos españoles ajenos que hace Lope en *El laurel de Apolo* y que he procurado identificar en las ediciones que pudo leer. En cinco casos estoy casi seguro de que utilizó textos manuscritos (números 17, 19, 22, 27 y 29) y en otro (26) una impresión que nos es desconocida, puesto que la más antigua que se conoce es dieciocho años posterior al *Laurel*. Un solo poema está publicado íntegramente, el atribuido a *Doña Feliciana* (17).

¿Son estas menciones un reflejo de la buena memoria poética de Lope? Difícilmente podríamos aceptarlas como tal, puesto que si hubiera tenido una feliz retentiva no habría alterado palabras y frases como en los números 2, 4, 8, 10, 11, 12, 24 y 28.

En algunos casos se tiene la impresión de que el escritor, para hacer una cita pertinente, ha abierto el libro que tenía a la mano por el principio señalando versos de la primera composición (números 7, 20 y 32) o lo ha utilizado por donde buenamente se abriera copiando principios de poemas (números 1, 6, 9, 14, 15, 18, 21 y 26) o finales de estrofa (números 22, 23, 27 y 30); sólo en nueve casos extrae versos interiores (números 3, 5, 13, 16, 17, 19, 25, 29, y 31).

Un análisis detenido de estas inclusiones ajenas en el *Laurel* puede aclararnos algunos aspectos de la elaboración del poema. Quede por ahora, y para facilitar esa tarea, este conjunto de identificaciones.

LAS JUSTAS TOLEDANAS
A SANTA TERESA EN 1614

(Poesías inéditas de Baltasar Elisio de Medinilla)

StP, Homenaje a Dámaso Alonso, III (1963), pp. 245-268.

1. Noticia

Don Antonio Martín Gamero, diligente cronista toledano y ameno escritor del siglo pasado, fue quien por vez primera citó, en su curioso libro sobre *Los cigarrales de Toledo*,[1] un manuscrito que poseía don Bartolomé José Gallardo conteniendo el *Certamen y Justa literaria* celebrada el 7 de octubre de 1614 en la ciudad de Toledo con motivo de la beatificación de la madre Teresa de Jesús.

Tratando del poeta Baltasar Elisio de Medinilla, se refiere a una canción, un soneto, un romance y dos piezas escritas con el motivo indicado, las cuales «con las de todos los ingenios que acudieron a la Justa, vimos en un libro ms. en 4.º ordenado por el toledano Juan Ruiz de Santa María, que conservaba el [...] señor Gallardo».

Años adelante, el erudito presbítero don José María Sbarbi reprodujo las noticias referentes al tal cartapacio en su periódico *El Averiguador Universal*,[2] aumentándolas con algunas bibliográficas de su propia cosecha y publicando, al parecer por vez primera, unas hermosas décimas «A la ausencia».

En 1889 un sobrino nieto de don Bartolomé, llamado don Jerónimo Gallardo de Font, hombre culto, con sus puntas y

1. Antonio Martín Gamero, *Los cigarrales de Toledo*, recreación literaria sobre su historia, riqueza y población, Imp. de Severiano López, Toledo, 1857, 4.º, 192-[4] pp.
2. *El Averiguador Universal*, correspondencia entre curiosos, literatos, anticuarios, etc., etc., y revista quincenal de documentos y noticias interesantes; director: don José María Sbarbi, Imp. de Alejandro Gómez Fuentenebro, Madrid, 1879, pp. 276-281.

ribetes de escritor, estampó, en la revista *Toledo,* dos artículos en los cuales dio noticia y extractos superficiales del manuscrito citado por Martín Gamero.[3]

En el precioso discurso que sobre Baltasar Elisio de Medinilla y su personalidad literaria leyó el docto investigador don Francisco de Borja San Román, con ocasión de celebrarse el tercer aniversario del fallecimiento de aquel ilustre poeta, se esbozó por vez primera la bibliografía de Medinilla, por desgracia casi toda contenida en manuscritos y rarísimas ediciones hoy inaccesibles al bibliófilo.[4]

Una página entera dedicó a la mención de la «Justa poética» celebrada en Toledo en honor de santa Teresa de Jesús el año 1614, pero confesando paladinamente que no pudo verla y que tuvo que contentarse con extractar las noticias puestas en circulación por don Jerónimo Gallardo.

«Ignoramos —dice San Román— dónde ha ido a parar tan inestimable joya bibliográfica; la biblioteca de don Jerónimo Gallardo la ha adquirido, hace poco, el bibliófilo bilbaíno don Luis Lezama-Leguizamón; es probable, por tanto, que se halle en poder del señor Lezama.» No, no fue éste el afortunado poseedor de las «Justas», sino el diligentísimo Marqués de Jerez de los Caballeros, quien marcó de su puño sus características señales en la contratapa del volumen.

Probablemente figuró en el lote de libros valiosos que intentó realizar en París después de la venta de su biblioteca a Mr. Archer M. Huntington: de todas formas en París quedó y, andados los años, fue a poder del conocido librero Mr. Heilbron en cuya casa lo hemos adquirido. Ya en nuestro poder, lo ha extractado el doctor Marañón para su extraordinario libro *El Greco y Toledo.*[5]

3. Jerónimo Gallardo y de Font, *Una justa literaria en Toledo en el siglo XVII,* artículos publicados en *Toledo,* publicación quincenal ilustrada, año I (1889), n.ᵒˢ V, p. 2, y VI, p. 4.

4. Francisco de Borja San Román y Fernández, *Elisio de Medinilla y su personalidad literaria...* publícanse como ilustraciones [...] cuatro obras inéditas de Medinilla, Suc. J. Peláez [Toledo, 1921], 4.º, 90-[2] pp.

5. G. Marañón, *El Greco y Toledo,* Espasa Calpe, S. A., Madrid, 1956.

El manuscrito fue utilizado casi inmediatamente después de su formación. El efecto, al recoger fray Diego de San José los materiales para su *Compendio de las solenes fiestas qve en toda España se hicieron en la Beatificación de N. B. M. Teresa de Iesvs,*[6] tuvo presente nuestra *Justa* y sin duda se refiere a ella cuando, al relatar las Fiestas de Toledo se expresa así: «He sido en esta relación tan breue, porque quiçá se vera impressa mas a la larga, que personas deuotas tratā de imprimir estas fiestas, con sus sermones, y poesias, para que assí llegue a la noticia de todos la piedad y afecto desta noble ciudad».[7]

Y más adelante, añade: «Conueniente pareció poner al fin desta Relacion algunas poesias, por no defraudar al lector de lo mucho bueno que alli salió, y este mismo estilo se tendrá en las mas de las relaciones que aqui se escriuen». Publica tan sólo un epigrama latino de un jesuita anónimo, otro del padre fray Juan Bautista de Lezama, unas buenas décimas de fray Pedro de Cardona, una glosa de Juan Jerónimo de Torres y finalmente una magnífica canción del maestro José de Valdivieso [*sic*].

Pero no se limitó a esto la escoja, sino que, conforme le fue conviniendo para rellenar huecos tipográficos, imprimió una docena más de poesías, a saber, de fray Pedro de Córdoba, maestro José de Valdivieso, Andrés de Quirós, fray Diego de Jesús, Juan Ruiz de Santa María, fray Martín de Recarte, fray Hernando Orio y Alonso Palomino (tres) en castellano, más dos latinas del licenciado Francisco Gutiérrez.

Fol., 325-[1] pp. y lám. aparte. La cita del manuscrito en la p. 310 y mención de la *Justa* en la p. 91.

6. *Compendio | de las solenes fiestas qve | en toda España se hicieron | en la Beatificacion de | N. B. M. Teresa de Iesus funda | dora de la Reformacion de | Descalzos y Descalzas de N. S. del Carmen | en prosa y verso.* | Dirigido al Illmo. Señor Cardenal Millino | Vicario de Nuestro Santissimo Padre y Se- ñor | Pavlo Qvinto | y Protector de toda la Orden. | Por Fray Diego de San Joseph | Religioso de la misma Reforma | Secretario de N. P. General. | Impreso en Madrid por la viuda de Alonso Martín An. 1615.

4.º, portada grabada por P. Perret-[4]-Retrato-62 [error: son 98]-232 fols.

7. Cf. fol. 31 v.º, de la segunda foliación.

Valdría la pena editar íntegro este valioso florilegio de poetas, toledanos casi todos, pero mientras le llega la ocasión hemos querido ofrecer amplia noticia y extractos de él y dar a conocer los versos inéditos que contiene del fino escritor Baltasar Elisio de Medinilla.

Trazada de mano maestra su biografía en el libro citado de San Román, no es necesario repetirla aquí: baste señalar la fecha de su nacimiento —1585— y aquella otra en que una mano criminal le arrebató la vida en plena juventud —1620—, llevándose con ella una pluma castellana de la que mucho cabía esperar.

Aunque estas notas se limitan a lo indicado, aprovechamos la ocasión para destacar de entre los poetas rutinarios y de ocasión que pulularon en la época, a uno cuyo estudio convendría emprender: se trata de Alonso Palomino, el escritor de quien hay más composiciones en la *Justa* y que a juzgar por ellas y por otras sueltas que hemos podido leer, no merece un olvido tan absoluto como el que le ciñe. Sus canciones, sobre todo, son excelentes.[8]

---

8. Palomino fue amigo de Lope de Vega. Sin pretender agotar el tema ni realizar investigación, apuntamos aquí algunos lugares en los cuales se hallan poesías de Alonso Palomino: *a)* Eugenio de Robles, *Compendio de la vida y hazañas del Cardenal Don fray Francisco Ximénez de Cisneros,* Pedro Rodríguez, Toledo, 1604 (un soneto); *b)* *Relación de las Fiestas que la imperial Ciudad de Toledo hizo al nacimiento del Príncipe Nuestro Señor Felipe IV deste nombre,* Luis Sánchez, Madrid, 1605 (un soneto); *c)* Alonso García, *Al santíssimo Sacramento en su fiesta. Iusta poética que Lope de Vega Carpio y otros... poetas de... Toledo y fuera del... tuvieron,* Toledo, 1609 (tres poesías); *d)* *Floresta espiritual, con un Auto Sacramental nuevo,* compuesta por el Bachiller Matheo Fernández Nauarro... Tiene al fin del libro la *Iusta literaria* hecha en la misma ciudad, a la beatificación del glorioso padre Ignacio, fundador de la Compañía de Iesús, Thomás de Guzmán, Toledo, 1613 (dos poesías); *e)* el manuscrito que reseñamos en el presente trabajo (contiene siete poesías, de ellas tres impresas en el apartado siguiente); *f)* Diego de San José, *Compendio de las solenes fiestas...,* Madrid, 1615 (tres composiciones, procedentes del manuscrito citado antes).

2. EL MANUSCRITO

† | Copia De las Canciones Sonetos. | y poesia que se hiço en la Fiesta de | La Beatificaçion de la Beata | Virgen y Madre, Teresa de Jesus | en el Monesterio de los Carmelitas | descalços estramuros de Toledo. | En siete dias del mes de Octubre | De MDCXIIII años. | - | Joan Ruiz de Sancta María.

Portada copiada, v.º en blanco.

—Certamen Poetico en Alabança de la Sancta Madre Virgen Teresa de Jesus para el dia de la fiesta de su beatificaçion que se çelebra en çinco de Octubre de este año de mill y seisçientos y Catorçe años en esta ymperial Ciudad de Toledo.

«Que se alegrara la soledad y floreçera como lirio que brotara pimpollos y $\bar{q}$ le sera dada la hermosura del Carmelo Dijo Isaias, todo lo qual en nuestra Dichosa hedad se ve cumplido en la pura Virgen y beata Madre Teresa de Jesus pues las Soledades de tantos Monesterios de quien Fue la primera Piedra oy se alegran en su beatificaçion despues de la propagaçion de tantos hijos por los quales tan justamente se le a dado la gloria y hermosura del Carmelo y ansi en este alegre y Dichoso dia que se çelebra su fiesta en toda España con tanta gloria y honrra suya que puede deçirse que de sus entrañas salio vna nueba Judich contra el Capitan de los Viçios, vna Virgen Abisag que pareçe $\bar{q}$ dio calor a los pies del nueuo Dauid En la vejez de su Iglesia, vna Ester que rogo por toda su generaçion en tiempo tan riguroso y vna hermosa Rachel que produjo este amoroso Joseph, que en el Carro de Elias mejor que en el de Pharaon resplandeçe con singular exemplo; La devoçion Amor y obligaçiones de sus hijos propone este Certamen a los nobles espiritus que con superior ynjenio se exerçitan en la artifiçiosa poesia con los Premios no yguales a sus meritos pero conformes a sus cortas fuerças reserbando al çielo los que por ynterçesion de la Beata Madre les a de dar el que tanto se glorifica y engrandeçe en el alabança de sus sanctos.» [*Fol. 2 rº-vº.*]

Certamen I. Cancion. Al que imitando la pureza latina en cinco estançias de vna cançion sin el combiato de ygual medida a la del

Petrarcha que diçe: Virjine bella che d'el sol vestita, mejor describiere el glorioso transito de la beata Madre que fue de Amor de su esposo se le dara vn corte de jubon de Raso, al segundo vna cruz de reliquias con remates de plata al terçero tres cuchares de plata.

Certamen II. Soneto. Al mas superior Soneto engrandeçiendo la sabiduria de que fue dotada la sancta Madre Teresa que fue como ynfusa se le daran vnas medias de seda de color, al segundo tres varas de tafetan, al terçero vn estuche doble.

Certamen III. Glosa. Al que mejor glosare los versos de la rredondilla que sigue se le dara las obras del Padre Fray Luis de Granada, al segundo vnos acuerdos de oro, al terçero vna vanda de tafetan.

> Teresa vuestra grandeza
> hija de esta humildad es
> pues descalçaros los pies
> fue coronar la caueza.

Certamen IIII. Octabas. A las mejores seis octauas reduçiendo las particulares merçedes que Dios hiço a su esposa y sus diuinos raptos se daran en Primero lugar quatro cuchares de Plata al segundo las obras de la Sancta bien enquadernadas al Terçero dos pares de guantes finos.

Certamen V. Deçimas. Al que en seis deçimas mejor Pintáre los afectos que obra el fuego del spiritu sançto adbocaçion desta Casa combirtiendolos por exçelençia a lo que se mostro en nuestra Sançta Madre se daran dos pares de guantes de Ambar, al segundo vn mondadientes dorado, al tercero vn Diurno con maneçuelas de Plata.

Certamen VI. Romançes. Al que en veinte coplas de vn Romançe mejor alabare esta ymperial Ciudad de Madre de sanctos y en espeçial de auer produçido los abuelos de la Veata Madre de lo mas Noble della por donde le tiene tanta obligaçion y deboçion y se le muestra agradeçida se le dara vn Bolsillo estremado al Segundo vna Blibia dorada, al Terçero vnos guantes de Ambar.

Certamen VII. Epigrama. A los mejores veinte versos eroicos o mas agudo Epigrama en çinco Distichos se le dara vn salero de plata dorado.

Certamen VIII. Hieroglifico. Al mejor hieroglifico en qualquier parte de las exçelençias desta sancta Virgen se le dara vna vanda de gasa muy Rica.

Seran Jueçes los Señores Don Diego Lopez de Çuñiga, Corregidor de Toledo, Don Francisco de Ribera, Marques de Malpica, don Françisco de Rojas conde de Mora, los Doctores Tena y Oraçio doria Canonigos de Toledo y el Padre Fray Alonso de Villalba prior de nuestra señora del Carmen y don Luis antolinez Regidor de Toledo.

Anse de entregar los versos en papeles duplicados y con el nombre del Poeta, a Joan rruiz de Sancta Maria Escriuano del numero de Toledo secretario deste çertamen para 30 de Septiembre en todo el dia con las condiçiones que todos sauen de no admitirse pasado el Plaço y las demas y el vn Papel a de ser de letra grande y el otro çerrado de letra que se deje leher.

—Introduçion del Certamen y Iusta literaria por Baltasar Elisio de Medinilla: O quanto, o quanto es Dios marabilloso... [*Fol. 5.*]

—Entrada de el Certamen y Justa Literaria por Joan Ruiz de Sancta Maria: Llegaba Phebo en su Carro... [*Fol. 6.*]

Canciones:

—En extasis de Amor, de Amor herida. De Baltasar Elisio de Medinilla. [*8 v.º*]

Abrio Jerusalen el Sacro muro. De Jvan Rviz de Santa Maria. [*10.*]

No triste alegre si, suene instrumento. De Pedro Pantoxa de Ayala al mesmo sujeto Cançion leyose en Nombre de Mateo Martinez. [*12.*]

Basta, Basta, sin tiempo amor violenta. De don Tomas de Vargas, no escribe al Premio. [*13 v.º*]

Llegada al tiempo de salir del Tiempo. De Alonso palomino. [*15.*]

Virgen prudente cuya luz diuina. De Lucas Justiniano. [*17.*]

En humo se lebanta y baporiça. Del liçençiado Gaspar de la Fuente. [*18 v.º*]

De vna Fecunda Virjen Madre yntacta. Del Maestro Joseph de Baldiuieso Cappan. del Illmo. Carl. arçobispo de Toledo [a continuación, tachado:] leyose en nombre del Maestro Al.º Marquez, no escriue al premio ni guarda la cadençia de la cançion senalada por el Cartel. [*20 v.º*]

Candida Virgen que de luz vestida. De Fray Pedro de Cardona Collejial del combento del Carmen Calçado. [*22 v.º*] [*Al fin de*

esta canción, advierte una nota:] Aqui se a de meter vna cancion
que esta mas adelante en el fol. 54.

Sonetos:

Del mismo Dios Teresa estudiosa. De Baltasar Elisio de Medi-
nilla, leyose en nombre de Jacinta Amaranta. [*24 v.º*]
El Amante en lo amado se transforma. De Baltasar Elisio de
Medinilla, leyose en nombre de don gaspar de Yepes. [*25.*]
De Amantes seraphines en las manos. De el licençiado Luis
Hurtado de Eçija. [*25 v.º*]
Hiere, que pide, heridas, vna herida. De vn deboto de la sançta
[Al margen: del p.ᵉ fr. Diego de Jesus Carmª Descalço] Leyose en
nombre de Albaro de aguilar scriuano publico. [*26.*]
Capitan valeroso y preuenido. Del Dor. Adriano Barrientos Me-
dico del Monesterio de las descalças obligado deboto de la sancta.
[*26 v.º*]
Transgresor de la ley se precipita. De Pedro Pantoja de Ayala,
no llego a tiempo. [*27.*]
Encendido carbon discurrir sabios. De Pedro Pantoja de Ayala,
Leyose en nombre de Matheo Martinez. [*27 v.º*]
Crecio la Fee (que a la ygnorançia alumbra). De Alonso palo-
mino. No escribe al premio. [*28.*]
Supo vencer Teresa fuertemente. De Alonso Palomino. Leyose
en Nombre de grauiel Anjel. [*28 v.º*]
Despues q̄ Salomon a Dios ofreçe. De Fray Françisco de Abe-
llaneda de la horden de san Augustin. [*29.*]
Los Rayos de la luz de eterna lumbre. De Matheo Fernandez
Nauarro. [*29 v.º*]
Cuerdo os imboco sabia a quien inflama. Del M.º Joseph de
Valdibieso leyose en Nombre de don diego de Vera a su deboçion.
[*30.*]
Saber en Dios, perfecta y summa çiencia. De don luis cernuscolo
de guzman leyose en nombre de Fran.ᶜᵒ Vaca de Herrera por su
deboçion. [*30 v.º*]
A ser del çielo buestra luz tan rara. De Bernaue de Seuilla. [*31.*]
La gloria y la grandeza del Carmelo. De Miguel Lopez de Sil-
bera. [*31 v.º*]
Que espiritu a Teresa dio tal Çiençia. De Fray Martin de rre-
carte, en las finales de los quartetos se lee dos veçes çiençia ynfusa

ynfusa sçiençia y en las de los Tercetos, Tubo la Madre Teresa, Tubo la Madre Teresa. [32.]

Minerba sacra cuya eroica sçiençia. De ygnacio de Mançanares. [32 v.º]

Alumbra el puro alcaçar de esmeraldas. De Fray Pedro De Cardona Carmelita Calçado. [33.]

Honor diuino gloria del Carmelo. Del liçenciado Blas de Morales. [33 v.º]

Inflamada de Amor Teresa sancta. De Tomas gomez de meneses portogues escribe a O preço. [34.]

Es plenitud en Dios sabiduria. Anarda Clori. [34 v.º]

Teresa de Jesus por Jesus sabe. Fray Hernando Orio lector en el Monesterio de santa Çhatalina. [35.]

Pues es la çiençia vn superior tesoro. De Fray Françisco de abellaneda De la horden de san augustin. [35 v.º]

Teresa en sçiençia nuebo Salomon. De diego de ayllon [36]

Teresa (madre) de Iesus os llama. De don Joan de Chaues y Vargas. [36 v.º]

Glosas [al mote: Teresa vuestra grandeça]:

Serbir a Dios es rreynar. De Don luis Cernuscolo de guzman. [37.]

Al alma que mas se humilla. De Don cristoual de Tena, no llego a tiempo. [38.]

Si Vos en Dios y el en Vos. De Joan geronimo de torres y olarte. [39.]

Tanto la grandeça buestra. Del liçen.do Joan esteban. [40.]

Tanbien a Dios le parece. De Diego de Ayllon. [41.]

Titulo de grande da. De Fray P.º Cardona carmelita Calçado. [42.]

Bajais al infimo grado. De Mateo fernandez Nauarro. [43.]

Sois princesa del Carmelo. De Fray Martin de Recarte carmelita. [44.]

Quien humilde y pobre alcança. De Fray Françisco de Auellaneda de la Horden de San Augustin. [45.]

Octauas:

Lebantada en la cumbre de los Montes. De Joan rruiz de sancta Maria leyeronse en Nombre del D.or Joan Velazquez. [46.]

Candido lirio que al Abril del Çielo. Del Maestro Joseph de Baldiuieso, leyose en nombre del M.º Alonso marquez. [47.]

Si en buestra Noble hedad Platon bibiera. De Lucas Justiniano. [48 v.º]

Fuera de si, y en si quanto mas fuera. De Andres de quiros. [50.]

O Planta que ya vençes las mayores. De Joan Geronimo de Torres y Olarte. [51.]

Quien Teresa dibina podra tanto. Del liçençiado Blas de morales. [52 v.º]

La Enamorada Palomilla hermosa. Cançion de Alonso palomino que se leyo en nombre de grauiel Anjel ase de poner quando se ymprima con las cançiones porque dejo de ponerse alli por olbido. [54.]

Decimas:

Amor que a dos comunica. De Martin Chacon. [56.]

Cera al fuego que la abrasa. Del Licdo. Luis Hurtado de Eçija. [57 v.º]

Al yelo mas rriguroso. Del licen.ᵈᵒ gaspar de la fuente. [59.]

Quando el Paracleto sancto. De Alonso palomino. [60 v.º]

Espiritu que enrriqueces. De Matheo fernandez Nauarro. [62.]

Biendo Teresa subir. Del liçençiado Joan esteban. [63 v.º]

El Amante a quien le toca. De Fray Francisco Abellaneda de la horden de San Agustin. [65.]

El Espíritu de Amor. De Fray pedro de Cardona carmelita calçado. [66 v.º]

Teresa humilde donçella. Fray Martin de Recarte carmelita calçado. [68.]

Con el spiritu hermoso. Del licen.ᵈᵒ Blas de morales. [69 v.º]

Romances:

En la Çiudad ymperial. De Joan ruiz De sancta Maria scriuano Publico, leyose en Nombre de Joan de salcedo. [71.]

Entre Pensiles y Tempes. Del licen.ᵈᵒ Alonso palomino Roman-çe. leyose en nombre de cristoual Martin de los reyes. [73.]

Llegarme a quentas con vos. De Baltasar elisio de medinilla. [75.]

Toledo ciudad insigne. De Mateo Fernandez Nabarro. [77.]

Todas las glorias Toledo. De Bernaue de Seuilla. [79.]

Famosa Çiudad de Dios. Fray Pedro de Cardona carmelita calçado. [81.]

Gracias a Dios que e llegado. Fray Fran.co de Abellaneda de la
Horden de San Agustin. [83.]

Ilustre Ciudad Famosa. Tomas gomez de meneses. [85.]

La Ciudad mas celebrada. Ygnacio de Mançanares. [87.]

La luz de toda la Europa. Fray gaspar de palma. [89.]

Hermosas Nimphas del Tajo. De la serrana de Auila, por Al.o
palomino. [90 v.o]

Epigrama. Los versos latinos eroicos y los Distichos se sacaran
en vn quaderno consecutibo.

Hieroglifico. Este genero de Poesia no vbo cosa considerable
y ansi no se pone aqui.

Otra vez buelbo a templaros. Vejamen a los Poetas que escribieron a los sujetos de el Çertamen por Jhoan Ruiz de sancta Maria
scriuano publico. [93.]

A toda la Poesia del Çertamen hecho por vn ygnorante, pribado
de la vista corporal y intelectual. Soneto: gran papelaje, oja, paja,
pluma. [104 v.o]

Sentençia de la Justa. Por baltasar Elisio de Medinilla: Vistos
los Papeles Graues. [105 v.o]

★ Ecce iam fortis mulier reperta. — Beatae Theresiae Virgili
Saphicum et Adonicum Hymnus [firmado al fin:] El ldo. fran.co
gutierrez. [110 v.o] [9]

★ Fecunda mater Virginum. — Beatae Theressiae Virgini De-
metium Iambicum Cathalecticum Hymnus. [firmado al fin:] El ldo.
Fran.co gutierrez. [111.]

Pulchra Theresa tuae Citherea est inuida forma. — B.ae Theresiae Virgini Dearum triumphus Epigramma. [firmado al fin:] El
l.do fran.co gutierrez. [111 v.o]

Serpit humi et tenebris hominum mens caeca volutat. — B.ae
Theresiae virgini Epigramma. [firma, tachada, del Ldo. Gutiérrez].
[112.]

★ Durm nitet illustres inter Magistra puellas. — B.ne Theressiae
Virgini Epigramma. [firmado al fin:] Luis hermoso. [112 v.o]

---

9. Las composiciones precedidas de ★ fueron publicadas en el libro de fray
Diego de San José.

★ Terrificas Terrens Tenebras. Tot thura Theresa. — B.ae
Theresiae virgini Epigramma. [*113.*]

4.º [3 en blanco]-110-[3] folios. Letra coetánea. Enc. en
su pergamino original.

He aquí el índice alfabético de primeros versos castellanos,
modernizada la ortografía y con indicación de los autores:

1 Abrió Jerusalén el sacro muro. Juan Ruiz de Santa María.
2 Al alma que más se humilla. D. Cristóbal de Tena.
★ 3 Alumbra el puro alcázar de esmeraldas. Fr. Pedro de Cardona.
4 Al yelo más riguroso. Lic. Gaspar de la Fuente.
5 Amor que a dos comunica. Martín Chacón.
6 A ser del cielo vuestra luz tan rara. Bernabé de Sevilla.
7 Bajáis al ínfimo grado. Mateo Fernández Navarro.
8 Basta, basta, sin tiempo Amor violenta. D. Tomás de Vargas.
9 Cándida virgen que de luz vestida. Fr. Pedro de Cardona.
★ 10 Cándido lirio que al abril del cielo. Mtro. José de Valdivielso.
11 Capitán valeroso y prevenido. Dr. Adriano Barrientos.
12 Cera al fuego que la abrasa. Lic. Luis Hurtado de Écija.
13 Con el espíritu hermoso. Lic. Blas de Morales.
14 Creció la fe que a la ignorancia alumbra. Alonso Palomino.
★ 15 Cuando el Paracleto santo. Alonso Palomino.
16 Cuerdo os invoco sabia a quien inflama. Mtro. José de Valdivielso.
17 De amantes serafines en las manos. Ldo. Luis Hurtado de
  Écija.
18 Del mismo Dios Teresa estudiosa. Baltasar Elisio de Medinilla.
19 Después que Salomón a Dios ofrece. Fr. Francisco de Avellaneda, O. S. A.
★ 20 De una fecunda virgen madre intacta. Mtro. José de Valdivielso.
21 El amante a quien le toca. Fr. Francisco de Avellaneda,
  O. S. A.
22 El amante en lo amado se transforma. Baltasar Elisio de
  Medinilla.
★ 23 El espíritu de amor. Fr. Pedro de Cardona, C. C.

24 Encendido carbón, discurrir sabios. Pedro Pantoja de Ayala.
25 En éxtasis de amor, de amor herida. Baltasar Elisio de Medinilla.
26 En humo se levanta y vaporiza. Lic. Gaspar de la Fuente.
27 En la ciudad imperial. Juan Ruiz de Santa María.
28 Entre Pensiles y Tempes. Lic. Alonso Palomino.
29 Espíritu que enriqueces. Mateo Fernández Navarro.
30 Es plenitud en Dios sabiduría. Anarda Clori.
31 Famosa ciudad de Dios. Fr. Pedro de Cardona, C. C.
★ 32 Fuera de sí y en sí cuanto más fuera. Andrés de Quirós.
33 Gracias a Dios que he llegado. Fr. Francisco de Avellaneda, O. S. A.
34 Gran papelaje, hoja, paja, pluma. Un ignorante.
35 Hermosas ninfas del Tajo. Alonso Palomino.
★ 36 Hiere, que pide heridas una herida. Fr. Diego de Jesús.
37 Honor divino, gloria del Carmelo. Lic. Blas de Morales.
38 Ilustre ciudad famosa. Tomás Gómez de Meneses.
39 Inflamada de amor Teresa santa. Tomás Gómez de Meneses.
40 La ciudad más celebrada. Ignacio de Manzanares.
★ 41 La enamorada palomilla hermosa. Alonso Palomino.
42 La gloria y la grandeza del Carmelo. Miguel López de Silvera.
43 La luz de toda la Europa. Fr. Gaspar de Palma.
★ 44 Levantada en la cumbre de los montes. Juan Ruiz de Santa María.
45 Los rayos de la luz de eterna lumbre. Mateo Fernández Navarro.
46 Llegaba Febo en su carro. Juan Ruiz de Santa María.
★ 47 Llegada al tiempo de salir del tiempo. Alonso Palomino.
48 Llegarme a cuentas con vos. Baltasar Elisio de Medinilla.
49 Minerva sacra cuya heroica ciencia. Ignacio de Manzanares.
50 No triste, alegre sí, suene instrumento. Pedro Pantoja de Ayala.
51 Oh cuánto, oh cuánto es Dios maravilloso. Baltasar Elisio de Medinilla.
52 Oh planta que ya vences las mayores. Juan Jerónimo de Torres y Olarte.
53 Otra vez vuelvo a templaros. Juan Ruiz de Santa María.
54 Pues es la ciencia un superior tesoro. Fr. Francisco de Avellaneda, O. S. A.

★ 55 Qué espíritu a Teresa dio tal ciencia. Fr. Martín de Recarte.
  56 Quien humilde y pobre alcanza. Fr. Francisco de Avellaneda, O. S. A.
  57 Quién, Teresa divina, podrá tanto. Lic. Blas de Morales.
  58 Saber en Dios, perfecta y suma ciencia. D. Luis Cernúsculi de Guzmán.
  59 Si en vuestra noble edad Platón viviera. Lucas Justiniano.
★ 60 Si vos en Dios y Él en vos. Juan Jerónimo de Torres y Olarte.
  61 Sois princesa del Carmelo. Fr. Martín de Recarte, C. C.
  62 Servir a Dios es reinar. D. Luis Cernúsculi de Guzmán.
  63 Supo vencer Teresa fuertemente. Alonso Palomino.
  64 También a Dios le parece. Diego de Aillón.
  65 Tanto la grandeza vuestra. Lic. Juan Esteban.
★ 66 Teresa de Jesús por Jesús sabe. Fr. Hernando Orio.
  67 Teresa en ciencia nuevo Salomón. Diego de Aillón.
  68 Teresa humilde doncella. Fr. Martín de Recarte, C. C.
  69 Teresa madre de Jesús os llama. D. Juan de Chaves y Vargas.
  70 Título de Grande da. Fr. Pedro Cardona, C. C.
  71 Todas las glorias Toledo. Bernabé de Sevilla.
  72 Toledo ciudad insigne. Mateo Fernández Navarro.
  73 Transgresor de la ley se precipita. Pedro Pantoja de Ayala.
  74 Viendo Teresa subir. Lic. Juan Esteban.
  75 Virgen prudente cuya luz divina. Lucas Justiniano.
  76 Vistos los papeles graves. Baltasar Elisio de Medinilla.

Los autores, por orden alfabético,[10] son:

Aillón, Diego de, 64, 67.
Anarda, Clori, 30.
Avellaneda, Fr. Francisco de, 19, 21, 33, 54, 56.
Barrientos, Adriano, 11.
Cardona, Fr. Pedro de, 3, 9, 23, 31, 70.
Cernúsculi de Guzmán, D. Luis, 58, 62.
Chacón, Martín, 5.
Chaves y Vargas, D. Juan de, 69.
Esteban, Lic. Juan, 65, 74.

10. Las cifras que siguen a los nombres remiten a la numeración de las poesías en el índice precedente.

Fernández Navarro, Mateo, 7, 29, 45, 72.
Fuente, Gaspar de la, 4, 26.
Gómez de Meneses, Tomás, 38, 39.
Gutiérrez, Francisco. Cf. las poesías latinas.
Hermoso, Luis. Cf. las poesías latinas.
Hurtado de Écija, Luis, 12, 17.
Jesús, Fr. Diego de, 36.
Justiniano, Lucas, 59, 75.
López de Silvera, Miguel, 42.
Manzanares, Ignacio de, 40, 49.
Medinilla, Baltasar Eliseo de, 18, 22, 25, 48, 51, 76.
Morales, Blas de, 13, 37, 57.
Orio, Fr. Hernando, 66.
Palma, Fr. Gaspar de, 43.
Palomino, Lic. Alonso, 14, 15, 28, 35, 41, 47, 63.
Pantoja de Ayala, Pedro, 24, 50, 73.
Quirós, Andrés de, 32.
Recarte, Fr. Martín de, 55, 61, 68.
Ruiz de Santa María, Juan, 1, 27, 44, 46, 53.
Sevilla, Bernabé de, 6, 71.
Tamayo de Vargas, D. Tomás, 8.
Tena, Cristóbal de, 2.
Torres y Olarte, Juan Jerónimo de, 52, 60.
Valdivielso, Mtro. José de, 10, 16, 20.

3. POESÍAS INÉDITAS

Introducción del Certamen y Justa literaria,

por BALTASAR ELISIO DE MEDINILLA

O quanto, o quanto es Dios marabilloso
en sus sanctos, o quanto manifiesta
oy su poder, su Braço poderoso

quando la Nabe de la Iglesia infesta
el Mar soberbio de tiranos tantos
y tanta en su niñez, sangre le cuesta.

Como de vn grano mill produçe sanctos
la púrpura bertida y templa el çielo
con Vida el Fin y con plaçer los llantos.

La hedad entonçes jubenil al suelo
florecia de Martires ceñida
baliente generosa y sin reçelo

Prodiga hera la Muerte de la Vida
y liberal la Vida de la Muerte
que ni a de ser buscada ni temida

inclinó el tiempo y declinó de suerte
(si bien fue necesario) que glorioso
subçedió siglo sabio a siglo fuerte

llegó Augustin en sçiencias prodigioso
Gerónimo, Gregorio y la pobreça
resplandeçió después qual sol hermoso

vn Françisco vn Antonio en la aspereza
de aquella rrelijion mas donde aspiro
si nunca a de acabar quien esto empieça

Oy en la senetud del tiempo miro
vn Monstruo raro en cuyas alabanças
del Temor al Espanto me rretiro

vna muger si a tantas esperanças
puede llegar Muger, muger que pudo
exçeder las humanas confianças

Maestra al Mundo entonçes torpe y rudo
en la virtud que con señales sanctas
defendió su principio como escudo

llegó después, llegó después a tantas
exçelençias que a Dios desde la Tierra
enamoro con sus desnudas plantas

Formó campo, hiço gente, intentó guerra
contra los viçios cuyo ymperio fuerte
al mismo ynfierno con su Rey destierra

Opusose tanbien contra la Muerte
pues solo Amor bastó a quitar la Vida
a quien le dio el dominio de su suerte

O tu del Sol bañada, o tu ceñida
del çielo, aplica el amoroso oydo
a tanto afecto, a tanta fee ençendida

Liras oy mill de armonico ruido
consuenan en loor de tu grandeça
deudas de coraçon agradeçido.

Toledo alegre, alegre su nobleça
celebran la corona que adquiriste
y para eterna Fama, en verso empieça
que al olbido y al Tiempo se resiste.

DE BALTASAR ELISIO DE MEDINILLA

Canción

En extasis de Amor de Amor herida
Rosas pidiendo por remedio y flores
dulçemente mortal Teresa yace
y anhelando a la vnion de sus Amores
exala al fuego de su Autor la Vida
en olocausto que de el Alma haçe
al Amor no a la Muerte satisfaçe
el Tributo forçoso
porque es tan poderoso
que a morir fuerça al que muriendo naçe
que donde tanto ynçendio se yntroduçe
la Vida ynferior fuego
respecta su esplendor luego y no luçe.

No siendo a tanto ardor capaz el Pecho
que es el humano espaçio esphera breue
a la del Cielo liberal grandeça
redunda Amor diuino y l'Alma beue
Oceanos de llamas que al estrecho
sobran mortal y anegan su velleça
el espiritu vsurpa a su corteça
las actiones vitales
que de las celestiales
obediençia es serbil naturaleça
a quien da poseida de su Dueño
(roto el amado yugo)
blando verdugo, Amor, cristiano sueño.

Deuen las cosas el prinçipio al peso
del mobimiento suyo que alli ynclinan
donde la fuerça natural las lleba
lebes al çielo espiritus caminan
graues al suelo cuerpos, cuyo exçeso
su birtud neçesita a que se mueba
bien a Teresa ansi su Amor eleba
(peso suyo suabe)
a Dios que en ella cabe
conque deliquios regalados prueba
que como aspira a vnirse en su discurso
muere, que ay desta suerte
del Amor a la Muerte breue curso

Ansias despide en tanto que despide
l'Alma de solo el merito pendiente
que creçe al peso della su tropheo
no sufre Amor, no sufre estar ausente
aunque transito breue le dibide
que el mas pequeño estima por Rodeo
no muere, no, de nuebo por su empleo
si bien oy fin reçibe
que quien Amando viue
ya a empeçado a morir en el deseo
que es deuda Amor y compensarla ymporta

y fuera diuidida
para tan grande Amor la vida corta.

el tiempo se abeçina, el Tiempo instante
que en cambio de la tierra ofreçe el çielo
aquel de Dios si lleno anbiçioso
pecho de Seraphin dejando al suelo
de tanta de virtudes abundante
copia si ya contento ymbidioso
Espira o vos exerçito amoroso
coronalda de estrellas
dejad las flores vellas
pues goça de la flor del campo hermoso
Amante siempre que muriendo quiere
yrse de amor preciando
que muere bien quien bien amando muere.

Madre espiritual, Virgen fecunda
de Anjeles en la tierra
si Amor conmigo hierra
tu del diuino el coraçon ynunda
ynterçesora y a la boca estiende
porque del proçediendo
el defecto escribiendo, amando enmiende.

DE BALTASAR ELISIO DE MEDINILLA,

leyose en nombre de Jaçinta Amaranta. Soneto 1

Del mismo Dios Teresa estudiosa
tanto la sçiençia de su Amor profesa
que Dios la sçiençia misma haçe a Teresa
de Plenitud Diuina esphera hermosa.

Penetra sanctamente ynjeniosa
del libro del cordero la Alta empresa
de quien lejislador dedujo ympresa
nueba a las Almas forma gloriosa

Nuebos Anjeles cria en que mostrando
esta su çiençia no el poder la copia
pues crece amando quanto amar se puede

i tanto en ella luçe mas amando
que al mismo Dios con ser la Sçiençia propia
saber y amar apenas se conçede.

DE BALTASAR ELISIO DE MEDINILLA,
leyose en nombre de don Gaspar de Yepes. Soneto 2

El Amante en lo amado se transforma
que como Amor es fuego a vnion reduçe
las Almas si reçiproco se ynduçe
y en todas sus açtiones las conforma.

Bien en teresa ansi como su forma
Dios amado y amante se introduçe
y en la similitud que Amor produçe
su misma sçiençia su compuesto informa

Con çiençia de Dios sabe i altamente
dulçes discursos para el Alma escribe
arroyos deduçidos de tal fuente

Dios es su sçiençia y quanto del Reçibe
sabe y amando lo que sabe siente
que en la Esperiençia la dotrina viue.

DE BALTASAR ELISIO DE MEDINILLA
Romance

Llegarme a quentas con vos
a mill dias que deseo
si de buestras alabanças
puede aber quenta Toledo
pero pues no han de caber
tantas en tan pocos versos
por vna de las grandeças

quiero dar a conoçeros
Madre sois que engendrais sanctos
y tales que alguno dellos
pues la defendio a su Madre
llego a dar honrra a Dios mesmo
mill Çesares de la Fee
peleando y escribiendo
que como de Diego aprenden
y matan en todo a Diego
Donçellas castas cansando
infatigables los hierros
que es mas fuerte que la Muerte
Amor en sus tiernos pechos
Todo en bos sanctidad diçe
hasta en las piedras vn tiempo
en defensa de la Fee
Libros milagrosos dieron
Con bos el Çielo diuide
oy la mitad de su Imperio
pues el tiene de los santos
las Almas y vos los Cuerpos
Despues que en vos la fundo
aquel Apostol Gallego
la Relijion no a faltado
avn hasta el morisco pueblo
Antes del Saco a Casilda
el çielo y en tantos templos
las muçarabes Reliquias
muestran testimonio çierto
La subçesion de la hedad
a dado varios exemplos
bien como para ymitarlos
para bien encareçerlos
Preçiaos pues que al çielo distes
en vn ynoçente tierno
a Dios tan bien Retratado
que es el mesmo en los tormentos.
Mas que mucho si la virgen
vna Noche, Dia sereno,

para haçer cortes en Vos
trujo la Corte del Çielo
Del Tuson hiço a Illephonso
de sus letras digno premio
que el çielo como es tan sabio
sabe estimar los yngenios
Estas glorias heredais
Toledo de sus pies vellos
como del Jardin florido
dulçe olor los blandos vientos
llamaos Çiudad de la Virgen
pues mira con tanto exceso
por vos que a Urbano promete
siempre en la fee defendernos
posesion tomo de vos
quando bajo a buestro templo
donde dejo su rretrato
para reconoçimiento
Vos tambien destos prinçipios
la subçesion conoçiendo
por tener parte en Teresa
le distes a sus abuelos
de buestros linajes nobles
salio el de Cepeda siendo
si prinçipal por la causa
ylustre por el efecto
gracias os deben los hijos
que siempre estais produçiendo
pues los poneis en las Nubes
tiniendo en ellas asiento
como el hombre es mundo breue
en buestras grandeças veo
que si ay Çielos en la Tierra
vos sois vn Çielo pequeño.

Sentencia de la Justa

por BALTASAR ELISIO DE MEDINILLA

Vistos los papeles graues
por los Señores Jueçes
que serlo en valor y letras
de Roma y de Athenas pueden.

Don Diego Lopez en todo
del Çuñiga deçendiente
que aunque Arista dio en Nauarra
prinçipio grande a sus Reyes

corregidor de Toledo
cuyas birtudes exçeden
las alabanças humanas
del injenio mas valiente

como padre de la patria
oy a haçer justiçia viene
si bien la misericordia
ynclinarle a si pretende

Don Françisco de rribera
marques de malpica obtiene
segundo lugar en quien
mill virtudes resplandeçen

La sanctidad acompaña
a tanta copia de bienes
que parece que la Tierra
y el Çielo competir quieren

Y *Don Françisco de Rojas*
Conde de Mora que vençe
en pocos años la fama
que Greçia en muchos adquiere

Nueba esperança de España
ser sus letras nos prometen
por quien a la hedad antigua
no a ymbidiado la presente

Mecenas de los yngenios
que ya con pluma exçelente
si a ser con la espada Achiles
ser Homero se prebiene.

El *Doctor Tena* que muestra
su sciençia el nombre, se ofreçe
con la esplicaçion a Pablo
adornado de laureles.

El Doctor *Oraçio Doria*
honor de los ginobeses
en quien emula su sangre
su gran dotrina floreze

Vna planta del carmelo
que al Terebinto pareze
que con su sombra fomenta
en qualquier tiempo las gentes

Don Luis Antolinez dando
embidia a Veneçia siempre
de quien sus Patricios nobles
gobierno y prudencia aprenden.

Vistos pues dellos los versos
ansi juzgan que combiene
que los premios se rrepartan
para que nadie se queje

Canciones

Por mas graue, mas eroica
mas generosa, mas dulçe

cançion, en lugar primero
(esto diçen que pronuncie)

A *Elisio de Medinilla*
oy se premia, con que jure
que no a de emplear el raso
en la de ojuelos açules.

Joan Ruiz de Sancta Maria
en el segundo concurre
si bien es siempre el Primero
y en qualquiera berso ilustre

Danle vna cruz de rreliquias
y por discreçion lo tube
que a un Poeta, y escribano
las den, para que le ayuden.

Matheo Martinez no ay quien
ser *Pedro Pantoja* dude
si no es que por alto pase
hombre que tan alto sube

Con tres cuchares de plata
le premian porque se encubre
que a deçir su nombre, el çielo
le coronara de luçes.

Sonetos

Dan a *Jacinta amaranta*
por el mas galan soneto
unas medias, porque a medias
ello (i ya entiende) escribieron

mas quien tiene tal ayuda
no es mucho se llebe el Presçio
porque ynjenio, y hermosura
de los dos, son dos, estremos

Tres baras de tafetan
en segundo lugar dieron
a *Luis Hurtado* que en fama
es emulo al mismo çielo

pasosele aqui por bajo
el primer lugar, mas creo
que el mismo le dio a Jaçinta
por ser en todo el primero

Den a *Don Gaspar de Yepes*
un estuche y a lo menos
lo que gano por la pluma
a perdido por moderno

con el *Don Francisco Vaca*
concurre en lugar terçero
y con un Rubí le premian.
También al *Doctor Barrientos*

le dan vnos guantes de ambar
por medico del combento
que por Poeta en el Mundo
ay bastantemente premios

Danse dos pares de guantes
a *Matheo Nabarro,* y *Diego
de aillon,* porque cuando escrivan
tengan buen olor sus versos.

Glosa

Solo *Don Luis de Guzman*
glosô la copla propuesta
que aunque a muchos vençe, a todos
ventaja glosando lleba

Las obras de fray Luis
su ingenio superior premian

porque si no vençer justas
huir pecadoras sepa

Los demas aunque yngeniosos
del tercero pie se alejan
y ansi los premios restantes
para el latin se rreserban

Por llegar tarde la glosa
de *Don Cristobal de Tena*
no se le conçede el premio
mas todos pequeños fueran.

Octabas

Danse al *Doctor joan Belazquez*
quatro cuchares de plata
mas con que las rrestituya
a quien hiço las octabas

Cobrelas *Sancta Maria*
pues tiene dadas fianças
de estar con el a derecho
si por el premio le emplaça

Al *Maestro Alonso Marquez*
dan las obras de la sancta
en que estudie mas conçeptos
que ynfinitas flores gasta

A *Lucas Justiniano*
dos pares de guantes pagan
si no el injenio que es mucho
la cançion y las estançias.

Deçimas

El culto *Martin Chacon*
de ambar dos pares de guantes

en primer lugar conçeden
premio digno a bersos tales

con buenos ojos miró
los sujetos del çertamen
pues le pagó de diez vno
en deçimas sinyguales

Otra vez a *Luis Hurtado*
premian con justiçia grande
en mondadientes de plata
pero que abra que no alcançe

Con maneçillas de plata
vn diurno se señale
al buen *Gaspar de la Fuente*
que bierte de perlas mares

para que su santidad
rece mañanas y tardes
se le dan que el mondadientes
es mejor para galanes

Con el y en premio vn añillo
concurre *Blas de Morales*
y es bien porque caigan juntos
dos rreberendos abades.

Romançes

A *Joan de Salçedo* vn bolso
conçeden por premio digno
de vn Romançe, buen probecho
que bueno es tener amigos

Vna bien curiosa blibia
pidio por Dios *Palomino*
y ansi se la conçedieron
avnque con nombre adoptibo

a la multitud de versos
que a la sancta Madre a escrito
premie su deboçion sola
de quien se muestra tan hijo

A *don Juan de Bozmediano*
vnos guantes de ambar finos
con que los presente al anjel
que haçerle Tobias quiso.

Versos latinos

Con vn salero de plata
premian los versos latinos
de aquel *Françisco Gutierrez*
que dio embidia a Apolo mismo

y con el en vn lugar
de aquel ynjenio dibino
gran mapa de todas çiençias
milagro de nuestro siglo

Don Tomas de Vargas premian
guantes de ambar que no ay ricos
premios para sus virtudes
sino el, que lo es de si mismo.

También a *Joseph del Valle*
premian sus bersos altibos
con vnos acuerdos de oro
pero guelenme a teatinos

Dan a *Antonio de Molina*
vna vanda = estos an sido
los premios que de las glosas
reserbo para aqui el juiçio

Hieroglificos faltaron
y ansi al bejamen festibo

y a la entrada de la Justa
dan su premio por deuido

Llebe la banda *Juan Ruiz*
que segun es ymajino
que pida el lucro çesante
por el tiempo que a perdido

Esta es la sentençia aora
murmure el mas vengatibo
que si el quiso ser llamado
no pudo ser escojido.

LOS ROMANCES
DE DON FRANCISCO DE MEDRANO

1. Noticia

Las circunstancias de hallarse acéfalo, incompleto y anónimo, junto con su temario, exclusivamente religioso, han hecho que el cartapacio poético manuscrito del cual he de ocuparme aquí haya permanecido varios lustros entre mis libros sin despertar la atención hacia sus folios. Al seleccionar ahora los volúmenes con objeto de preparar el catálogo de la poesía de los siglos de oro, me he quedado realmente sorprendido del interés que presenta.

Vino a mis manos de las del librero don Manuel Ontañón, quien lo adquirió en la biblioteca particular sevillana de don Manuel de la Portilla. Conociendo mi debilidad por los manuscritos, sobre todo si son de verso, lo incluyó en un lote de libros antiguos incompletos, del cual me hizo presente a cambio de unos volúmenes que yo tenía repetidos y a él faltaban para completar una colección periódica.

Restaba interés, a primera vista, la uniformidad de su escritura, que parecía fácilmente catalogable como letra de amanuense, aunque un examen más detenido viene a convencernos de que se trata de un limpio autógrafo. Luego lo veremos con los probatorios ejemplos necesarios.

En su estado actual se nos presenta como un inconcluso volumen en el que el autor iba copiando en limpio su obra poética, bien clasificada y con un previo orden establecido; comienza con sonetos (pp. 1 a 19 de la numeración a lápiz trazada por nosotros) y siguen octavas y tercetos (21-52), canciones varias (53-85), liras (87-88), redondillas (89-192), letras y glosas (193-200), villancicos y chanzonetas (201-223), una serie de textos en prosa, sin interés, de letra muy posterior a la uniforme del manuscrito, llenando espacios que habían quedado en blanco (225-236), romances y cancioncillas castellanas (237 al final). Quedan incompletas, por falta de hojas, algunas poesías.

En el volumen se dejaron páginas en blanco destinadas a contener textos que no fueron copiados: testigos las 20-30 de la primitiva numeración, que están sin ocupar, aunque encabezadas por la palabra *Soneto,* lo cual indica que aún habían de incluirse algunas composiciones, borradores ya preparados, pero que no lo fueron por razones que desconocemos. El escritor estudió minuciosa, meticulosamente, el equilibrio de los espacios, fue trasladando numerosas poesías, pero la impresión que nos da el tomito es la de un corte seco, una interrupción brusca de la tarea, sobre la cual no se volvió, o acaso un par de veces esporádicamente.

Muy buena caligrafía, no artística, sino de persona que procura, y consigue, dar aspecto estético y regular a la letra habitual: pequeña, clara, redonda, uniforme. Con posterioridad a la primera escritura se ha llenado de otra, diferente y tosca, las páginas 225-236 con textos en prosa: privilegios concedidos al Rosario de la Virgen María.

Cuatro composiciones han sido cruzadas como para suprimirlas; en los villancicos y chanzonetas se ha tachado con una raya la copla sin tocar a la glosa; otras veces sólo se ha escrito la copla, conservando un espacio en blanco para la glosa que no se ha puesto; finalmente, en seis casos las poesías llevan importantes correcciones autógrafas.

El escriba numeró de antemano los folios del volumen, no todos, y a veces lo hizo paginando recto-vuelto y otras veces sólo en los impares: llega al 462. Lo hoy conservado son las pp. 1-20, 27-30 (en blanco), 33-63, 97-130, 141-142, 173-231, 249-292 con el error de equivocarse de centena numerando 175-192, 317-324, 345-362, 365-370, doce páginas de prosa y letra ajena, 393-462. Sobre 462 páginas faltan, pues, unas ciento cincuenta.

La encuadernación es en pergamino, que forra duro cartón y lleva estampados hierros negros en las tapas: cantoneras de florón sencillo; cuatro unicornios dispuestos en cruz alrededor del clásico sello jesuita IHS, con la cruz apoyada en el palo transversal de la H, y base de tres clavos unidos por las puntas, todo el monograma envuelto en círculo llameante. La procedencia, pues, no puede dudarse: de un jesuita o de la biblioteca de una Casa de la Compañía, si bien el no existir ex libris manuscrito o signaturas topográficas parece excluir esta segunda presunción.

Es muy extraño, sin embargo, que no aparezcan nombres de jesuitas como Ignacio de Loyola o Francisco Javier (no santos aún) en un volumen que todas las señas caracterizan como preparado en alguna Casa Profesa. Parecen aludir también a esto último las composiciones «en la renovación de los estudios» (n.º 115) o «en repartimiento de unos premios» (n.º 246).

¿Dónde se redactó o copió el manuscrito? Los escasísimos asideros topográficos inclinan el ánimo a localizarlo en Valladolid y en ambiente de jesuitas: no menos de trece composiciones tienen como motivo la traslación de la iglesia de la Compañía de Jesús de Valladolid dedicada a san Antonio de Padua; dos de san Albano protomártir de Inglaterra y patrono del Colegio Inglés de Valladolid, puesto bajo su advocación.

Una elegía a la muerte de fray Luis de León, en tercetos (n.º 34), comienza con esta clarísima alusión local:

Aquí donde Pisuerga refrenando
el presto paso de su claro curso
en carro de cristal va rodeando.
La villa de mejor y mas concurso
que los rayos solares escalientan
en todo su larguísimo discurso [...]

y hay que fecharla en 1591 o 1592, inmediatamente después del suceso. Esta elegía corre parejas con otra dedicada a la muerte de Cristóbal de Soto, que cayó en desafío de una estocada;

aparte de la línea general, los finales de una y otra tienen muy semejante broche.

Relacionada asimismo con el insigne poeta de la vida retirada es una composición a una imagen de san Agustín que poseía, seguramente, en su celda. El autor la vio, le impresionó y la detalla así: «tenía un coraçon sobre unas llamas en la mano atravesado con dos saetas, y puesto entre la imagen de Xo. y la Virgen madre con aquella letra hinc pascor a vulnere hinc lactor ab ubere etc.».

Parece defendible, pues, la suposición de que el autor del manuscrito es un jesuita que ha estado en Salamanca, acaso conoció a fray Luis de León, por quien manifiesta decidida admiración y que reside luego en Valladolid, donde dedica una elegía a su muerte.

Aunque ninguna poesía lleva nombre de autor, dos hay que nos son conocidas por figurar en otro manuscrito, poco posterior cronológicamente, y haber sido impresas en nuestros días: un romance a san Francisco («Un bulto casi sin bulto») y otro a la muerte («Al son cuerdo de las cuerdas»), obra ambos del poeta Francisco de Medrano.

Un cotejo detallado de la letra en que está escrito el volumen con los autógrafos indudables que poseemos del fino vate hispalense nos revela que todo él es de su puño. Se trata, sin duda, del libro en donde iba copiando en limpio toda su producción en el último decenio del siglo XVI.

A él convienen perfectamente las características que hemos ido destacando: jesuita, estante primero en Salamanca, donde casi con seguridad conoce a fray Luis de León, residente más tarde en Valladolid. Todo lo que se conserva es poesía religiosa y tiene el mayor interés, puesto que nada sabíamos (con la excepción de estas dos piezas anotadas) de su obra poética que no fuese la profana incluida en el volumen póstumo que aparece en 1617.

De las dos composiciones exhumadas por Dámaso Alonso,[1]

---

1. Dámaso Alonso y Stephen Reckert, *Vida y obra de Medrano*, II, edición

la de tema franciscano está con idéntico texto, pero la otra, que figura como primera de una serie de tres, sí tiene diferencias considerables: en primer lugar la extensión: añade nada menos que doce versos a los setenta y seis de la redacción conocida; en segundo se nos presenta como parte de un tríptico perfectamente enlazado.

La construcción es igual en las tres, el lenguaje uno, la técnica de reiteración verbal idéntica: quien escribió la primera no hay duda de que forjó las otras. Dámaso Alonso ha trazado un finísimo análisis estilístico de ella, y si se leen los textos ahora hallados en presencia de sus hermosas páginas no hay ni línea ni juicio que no le convenga por completo.

Treinta y seis son los romances que nos da a conocer el manuscrito bajo el epígrafe de *Romances y cancioncillas castellanas*, y, salvo los dos indicados, los restantes son inéditos y nos manifiestan una faceta nueva en el arte de Medrano. Hemos aludido a los que parecen referirse a ceremonias escolares (renovación de estudios, repartimiento de premios) y anotaremos ahora el temario de los restantes.

Los hay dedicados a san Juan Bautista, María Magdalena, santo Domingo, san Francisco, san Jerónimo, Reyes Magos, san Albano protomártir de Inglaterra, negación de san Pedro, Virgen María, oración del Huerto y prisión de Cristo, Resurrección; la serie de cuatro «A la muerte» y nada menos que catorce a la Natividad, tema que parece haberle sido muy favorito.

Finalmente hay cuatro consagrados al «desengaño de la mocedad», a la Primavera, «A unos almendros helados», y uno alegórico y semiprofano. Un examen detenido de todos ellos acusa técnica muy similar, y las reiteraciones verbales permanentes los enlazan como hojas del mismo ramo. La lectura de los textos

crítica, Madrid, 1958. Cf. las pp. 349-359. Otro manuscrito, no considerado hasta ahora, de «Un bulto casi sin bulto» hemos citado en el *Catálogo de los manuscritos poéticos castellanos existentes en la biblioteca de The Hispanic Society of America*, I, Nueva York, p. 111.

publicados al fin de estas notas, nos ahorrará insistir en lo que nos parece evidente.

Pero no queremos concluir sin indicar que Francisco de Medrano, cuyo estilo en estos versos devotos es tan diferente del que ha de aparecer luego en su poesía profana, es un gran lector del romancero nuevo que en la última década del siglo XVI se expande a través de infinitos pliegos sueltos y de los volúmenes de la *Flor* de Moncayo y su descendencia.

En efecto, sin hacer investigación alguna, nos vienen a la memoria, al leer los de Medrano, otros textos muy en boga en su tiempo, lo que demuestra que el jesuita era conocedor de esta literatura popular y muy influido por ella. Bastará recordar algunos pocos ejemplos:

Al tiempo que el rojo Apollo
las tinieblas desterradas
corre la negra cortina
y muestra su frente clara [...]

Al tiempo que el Alua bella
corre del Oriente claro
las cortinas dando al suelo
clara luz, y Sol dorado [...]

Juan como pobre pastor
desterrado de su tierra [...]

Elicio un pobre pastor
ausente de Galatea [...]

Amarrado al duro vanco
del mundo mortal galera
las manos en el trabajo
y los ojos en la tierra [...]

Amarrado a vn duro vanco
de una galera Turquesca
ambas manos en el remo
y ambos ojos en la tierra [...]

Aloxo su humanidad
en una pajiza caja
el príncipe de los cielos
que a la baja tierra baxa [...]

Alojó su compañía
en Tudela de Nauarra
Brauonel de Zaragoça
que va caminando a Francia [...]

De la corte de su padre
al suelo baja de priessa
El principe de los cielos
y señor de las estrellas
y aunque naçe a media noche
a pesar de las tinieblas

De la armada de su rey
a Baça daua la buelta
el mejor Almoralife,
sobrino del gran Zulema,
y aunque llegó a media noche
a pesar de las tinieblas,

antes de naçer divisa	desde lexos diuisaua
de su ciudad las almenas	de su ciudad las almenas.
aquel chapitel es mio	Aquel Chapitel es mio
con la honda y cinco piedras	con las aguilas de Cesar,
armas de david mi padre	insignia de los Romanos,
que fue señor destas tierras [...]	que vsurparon esta tierra [...]

Curioso es observar que todos estos textos que hemos señalado se encuentran en la *Primera parte de la Flor de varios romances*,[2] de la que hay ediciones de 1591 y posiblemente las hubo del año anterior. Es decir, que la fecha de composición del manuscrito se va ciñendo hacia los primeros años de la última decena del siglo. Valdría la pena hacer un estudio de cómo se refleja en los poemitas de Medrano esta avasalladora corriente, cuyos más firmes propulsores han de ser Góngora y Lope de Vega.

Damos, a continuación, el texto de todos los romances de Medrano que de su puño y letra se hallan en el cancionero.

2. TEXTOS DE LOS ROMANCES

1

A LA VIRGEN MADRE NUESTRA SEÑORA
EN LA NAVIDAD

Soberana reyna mia
en cuyas limpias entrañas
com en litera de oro
hiço nuestro rey jornada
Dueleme vuestro dolor
pesame veros penada
siento vuestro sentimiento
traenme ansioso vuestras ansias
Jusgo que teneis razon

2. Véase nuestra reimpresión en *Las fuentes del Romancero general de 1600*, II, Madrid, 1957.

en tomar pena y mostrarla
y llegame al coraçon
no poder yo remediarla
Veis a vuestro Dios y Hijo
que no se duerme en las pajas
porque sobre estar elado
cuydados nuestros le matan
Veis lleno el cuerpo de frio
de congojas llena el alma
lleno el coraçon de fuego
y los ojos llenos de agua.
Veis que le prueva la tierra
y la mal mullida cama
veis por nosotros desnudo
quien tiene llenas sus arcas.
Para dar un corte en esto
echais virgen cien mil traças
y a la sobra del deseo
el poder cumplirlo falta
Parece virgen que os veo
ante el niño arudillada [sic].
con el coraçon decirle
no pudiendo con palabras
Ay, mi Dios, y quien pudiera
mientras este frio pasa
y yo os busco algún abrigo
volveros a mis entrañas.

2

A UNOS ALMENDROS ELADOS

Dulces almendrillos
amargos almendros
que soys del verano
prestos mensajeros
y primeros hijos
de los soles nuevos

a quien llaman locos
con raçon por cierto
Pues sacais a plaça
el florido arreo
sin aquel recato
y debido miedo
que debeis tener
al rigor del yelo
llevais presto flores
y perdeislas presto
perdiendo con ellas
lo que es de mas precio
que son esperanças
de fruto postrero.
Digo almendros pues
que siempre que os veo
me representais
como vibo espejo
mi coraçon loco
y su perdimiento
llevo sin razon
hermosos deseos
mostrolos temprano
florecio sin tiempo
corrio que no fuera
un elado cierço
quemoles las flores
quemadas murieron
Dexoles sin frutos
ni esperança dellos.
aprendamos pues
elados almendros
pues en el castigo
somos compañeros
a ser recatados
y no mostrar luego
vosotros las flores
y yo mis deseos.

3

EN LA RENOVACIÓN DE LOS ESTUDIOS

Deleitosa sombra causa
de Alcides un ramo antiguo
a una fuente que a sus pies
nace de un peñasco vibo
Es mas clara que los ojos
mas transparente que vidrio
en el hibierno templada
casi elada en el estio
Riega y cruça con sus aguas
un fresco y verde pradillo
manchado de mil violetas
de mosquetas y iunquillos
Con lo verde de la yerva
sale el rosado mas fino
lo blanco del açucena
descubre al morado lilio
Cercado de verdes sauces
y alamos entrexigos [sic]
en cuyas ojas de plata
suena dulce el ayrecito.
Parece cielo de tierra
o terrenal Parayso
primavera de la Gloria
o tosco del cielo primo.
Estava aqui el crespo Apollo
de verde lauro ceñido
tocando el dulce instrumento
con armonioso artificio
en un bello sitial
forjado de oro maciço
de todas las — 9 — hermanas
acompañado y servido
Pidenle todas a una
que como Padre benigno
pues de la salud y letras

tiene absoluto dominio
Destierre de sus escuelas
que hasta aqui an padescido
los males y enfermedades
que traxo el pasado estio
Alegan que ayuda el tiempo
y viene como nascido
por estar el sol en libra
hospedado y detenido
despidiendo los calores
y deteniendo los frios
y con iusta y fiel balança
poniendo temple medido
Admite la peticion
concediendo lo pedido
y ordenando se de luego
a los estudios principio

4

DE LA NATIVIDAD

Por una y otra mexilla
del niño Dios se derraman
dos cristalinos arroyos
do la virgen se mirava
y contemplando entre si
la prisa con que se alcançan
unas perlas a otras perlas
entre unas y otras pajas [3]
mirando dize a su hijo
si mirarle le dexavan
lagrimas que por los ojos
el coraçon distilava.
si solo en veros llorar

---

3. /o/ *hasta enrriquecer la paja.*

hijo y Dios de mis entrañas
me afligen sin descansar
unas ansias y otras ansias
siendo vos tanto mas tierno
y teniendo cien mil causas
quales seran las angustias
que vuestro coraçon pasa?
lloremos pues a la par
ya que la razon lo manda
yo vuestra pena y dolor
vos del hombre la desgracia.
Que con esta agua caliente
arderan tanto las fraguas
que se conviertan muy presto
nuestro coraçon en agua.
Yo con ella deshare
la penosa y dura escarcha
que os hace temblar de frio
y vos lavareis al alma.

5

EN LA MISMA FIESTA A LA VIRGEN MADRE

Virgen corona del mundo
honrra de nuestro linaje
en cuyo seno a cabido
lo que en solo el de Dios cabe.
llego ya el alegre dia
(que no es noche quando nace
la fuente de quien recibe
el sol la luz que reparte)
tan deseado del mundo
quanto pudo desearle
porque con el esperava
el remedio de sus males
ya mirara Dios al hombre
con apacible semblante
y el no se escondera ya

si el niño Dios le llamare
Soys vos virgen la tercera
de tan deseadas pazes
Dios nos de con que serviros
señora merced tan grande
Por muchos años y buenos
os gozeis con ser su madre
veais buen gozo señora
del recien nacido infante
En todo lo que emprendiere
facilidad mucha halle
a los moços dexe atras
vaya a los viejos delante
veaysle entre los doctores
soltar las difficultades
muy seguido de la gente
quando despues predicare
Pontifice le veais
con cinco mil cardenales
enseñando de la silla
al mundo todo verdades
El alma a quien bien quisiere
mas que a si le quiera y ame
y por ser amada del
dexc otro qualquier amante
El mundo todo le sigua
el cielo por rey le alçe
y a vos señora por reyna
pues soys de tal hijo madre.

6

DESENGAÑO DE LA MOCEDAD

Locos años mios
iuventud sin seso
dulce seminario
de llantos y duelos
fabula compuesta

anzuelo encubierto
engaño de bobos
qual yo me confieso
salid norabuena
no volvais os ruego
que hare en vosotros
un castigo fiero
destierroos de mi
guardad el destierro
sino quereis ser
al mundo escarmiento.
y si preguntais
el porque os destierro
oyd un pedaço.
de vuestro proceso
mas de mil testigos
son los que an depuesto
maiores de edad
y con iuramento
contestes en todo
y que os conocieron
aunque agora diçen
que les pesa dello.
Que soys perniciosos
para el buen gobierno
no guardando leyes
y quebrando fueros
que con falsa visa
entrais halagueños
como almendros locos
de flores cubiertos
dando en esperança
frutos muy enteros
y alargando plazos
haceis vuestro hecho.
Traeis mil iuguetes
como buhoneros
mil imagencillas
mil sacadineros

con sola la vista
o con el deseo
dessas niñerias
vais entreteniendo
y quando os parece
que esta el huesped preso
en vuestra amistad
con lazos estrechos
aguardais sazon
y en el primer sueño
dexais a la luna
y vais os huyendo
llevais quatro cosas
que no tienen precio
Raçon, alegria
libertad, y tiempo.
Item mas se prueva
mas aqui lo dexo
que es nunca acabar
relatar el resto
brevemente digo
que no tienen quento
solas las cabeças
de vuestros excesos
Juzgad pues vosotros
si con fundamento
pronuncio sentencia
de vuestro destierro
iurarvos podria
sin ningun recelo
de que en residencia
me acusaran dello
que aquesta sentencia
no a sido por ruegos
de vuestros contrarios
ni por sus cohechos
la iusticia sola
raçon y derecho
y mi desengaño
me mueven a ello.

7

EN REPARTIMIENTO DE UNOS PREMIOS

Al tiempo que el rojo Apollo
las tinieblas desterradas
corre la negra cortina
y muestra su frente clara
Quando las hermosas pias
las cervices enlazadas
con medido y cierto paso
suben a las cumbres altas
y acabado el postrer pienso
del nectar y ambrosia sacra
al celeste carro unidas
parten con huella gallarda
y mordiendo frenos de oro
de su espuma plateada
sobre la menuda yerva
precioso aljofar derraman.
en el sagrado Parnaso
de Phebo rica morada
Parayso de poetas
y de musas cierta estancia
Clio una de las nueve
con policia extremada.
de Amaranto y verde yedra
texe una rica guirnalda
guirnalda digna de ingenio
que por punta de su lança
mereciere ser honrrado
de Diosa tan soberana.

8

DE LA NATIVIDAD DE Xº NUESTRO SEÑOR

Una doncella mas pura
que las estrellas del cielo

sin cuyos rayos el mundo
como sin sol fuera ciego
a un infante que a parido
viendole desnudo al yelo
siendo quien viste los campos
llorosa le esta diciendo
cese ya mi bien el llanto
que en las aguas del me anego.

Como estais vida le dize
tan sin abrigo al sereno
y el con llorar le responde
como captivo entre yerros
Si estais vos como captivo
yo como captiva peno
vos de amor, yo de aficion
ambos cercados de fuego
cese ya mi bien el llanto
que en las aguas del me anego.

Cese ya el canto penoso
porque goze mi [me]moria
el bien que en teneros tengo
mirad el mar de mis ojos
de quien en miraros vierto
mas agua que vos criastes
en quanto mar ciñe al suelo
cese ya etc.

No tiene de que llorar
quien es de culpas ageno
el mundo si es bien que llore
pues no las vee y esta lleno
llore pues huye de vos
siguiendo un bien que huyendo
jamas se dexa alcançar
porque corre a vela y remo
cese ya mi bien el llanto
que en las aguas del me anego.

9

DE SAN JUAN BAPTISTA

Juan como pobre pastor
desterrado de su tierra
que por ser tierra y no cielo
el se ha desterrado della
Dexando a su dulce primo
a quien su coraçon dexa
(por ser primo sin segundo)
de cuyo esclavo [se] precia.
En los campos de esperanças
y tierra de penitencia
orillas del hondo mar
de lagrimas y de penas
anda con un zurron lleno.[4]
de amenazas y promesas
que para haçer su officio
es la cosa de mas quenta.
Con un cayado en la mano
que le tiene y le sustenta
hecho de perseverancia
incorruptible madera
vestido con un pellico
cortado de su paciencia
para resistir los soles
y sufrir lluvias de prueva.
esparçe su voz qual honda.[5]
del pecho hondo querellas
que como piedras derriban.
los coraçones de piedra
querellase de los hombres
que tienen tan poca quenta
de la quenta de su alma
que es quenta de indulgencia.[6]

4. Tachado: *al hombro un çurron cargado.*
5. Tachado: [...] *su voz una* [...]
6. Tachado: *ganas de Dios* [...]

reprehende con calor
los yelos de sus tibiezas
pone fuego al mundo verde
y abre a Xº por la senda.
fi condena a destierro culpas
y para reprehendellas
no tienen miel sus palabras
aunque el de miel se sustenta.

10

DE LA MAGDALENA

Dos caudalosas vertientes
despiden los ojos bellos
de la nueva Magdalena
officio para ellos nuevo
es ella nueva pues viene
desnuda del hombre viejo
nuevo el llorar a sus ojos
que nunca llorar supieron
suelta al ayre y al desgaire
los enlaçados cabellos.
cabellos que el mismo sol
pierde su lustre cabellos.
sueltalos para que prendan
a aquel por quien vienen sueltos
deslazalos porque fueron
lazos del mundo otro tiempo
endereça los arroyos
de su planto y llanto hechos
para que rieguen las plantas
del que hiço y planto el suelo.
Entre dos peñas se quiebran
los dos arroyos corriendo
ella es una, pues fue dura
Xº otra, en irla sufriendo.
Del coraçon quebrantado
quebrada el agua saliendo

riega las plantas de Xº.
plantas de fruto del cielo
estas dos le haçen sombra
y quitan sombras de miedo
estas le dan dulces frutos
y no fruta sin sustento.
y estando debaxo de ellas
para desfogar el pecho.
que paga pecho al [a]mor
con ardor en vibo fuego
Dio principio desta suerte
a un tierno y dulce lamento
aligerando con el
de sus congojas el peso
Dios mio si [7] con mi muerte
de mi sereis [8] satisfecho
pues que tan por fuerça vibo
por fuerça morire presto.
no quiero entierro [9] de marmol,
pues que tan mal lo meresco
no quiero hachas, ni luto
ni funeral triste quiero,
sea mi firmeza el marmol
Gaste por lumbres mi fuego
y por luto mis tristezas
por funeral mi lamento
un don os pido señor
aunque yo no lo merezco
y es que se haga una fuente [10]
de las lagrimas que vierto [11]
Para deselar tibiezas
den estas aguas remedio
y qualquiera que las veba
sane de ingratitud [12] luego.

7. Sobre: *Dios si quedais.*
8. Sobre: *de mis culpas.*
9. Tachado: *ataud* y substituido por *entierro.*
10. Tachados: no se puede leer el original.
11. Sobre: *un manantial quede hecho.*
12. *frialdades /o/ ingratitud.* Decidió por *ingratitud.*

y bien podran encañarse
al mas empinado cerro
pues la altura de su origen
les da suficiente peso
aqui paran las palabras
sin parar el sentimiento
porque la gravedad deste
aun no a llegado a su centro.

11

DE SANTO DOMINGO

Con rayo tal os rayò
la lumbre del sol divino
que retratò de su dia
en vos un retrato vibo
esse sol os hiço solo
porque fuesedes tenido
y celebrado de todos
Domingo, como Domingo.
Dedicado a sus loores
os a Dios instituido
porque en vos resuscito
para mil hombres perdidos
soys dia que Dios a hecho
porque tan claro os a visto
dia de la eternidad
dia de vida de Christo
dia de fiesta solenne
pues dios en vos a caido
dia de pascua de flores
templado, alegre, y crecido
dia cuya luz no pasa
dia de quenta, y iuzio.
dia que por ser buen dia
Dios en casa le a metido
no dia de entresemana
de trabajo y de bullicio

Dia que guardan los cielos
y entre semanas Domingo.
Diamante o dia de amante
tan constante y tan continuo
que no os acorta el hybierno
ni os haçe grave el estio
El suelo se alabara
que quando del aveis ido
el cielo tuvo un buen dia
y que el se lo da contino.

12

A SAN FRANCISCO

Un vulto casi sin vulto
de huesos de un hombre santo
un cuerpo de poco cuerpo
de carne de un descarnado.
remontado por los montes
solo puebla en despoblado
y por entre peñas vibas
trae su vida despeñado.
Sobre las sierras peladas
andan los huesos pelados
de Francisco o de la sombra
de Christo crucificado.
Viste el desecho del mundo
y del sea deshecho tanto
que es por desecho y deshecho
dechado de desechados
vn capote de sayal
en su vestir ordinario
habito de quien tenia
habito de andar gallardo.
Los desencajados ojos
trae con el cielo casados
y con los clavos de Xº,
herrado pero no errado

todo elevado en el cielo
de tierra todo elevado
elevado porque a Dios
su coraçon es llevado.
quiere se llamar menor
por su mayor menoscabo
menoscabo porque cabe
en qualquiera menor cabo
Dios por su menor le toma
y en todo le a mejorado
viendo que es lo que le da
mejorado y mejor dado.
de su cilicio y silencio
por no romperselos callo
y de sus santas rodillas
también callare los callos
si sus milagros contara
fuera muy largo y milagro
ceso pues, y de su seso
puede otro seso alaballo.
solo dire que en su iglesia
Dios puso exemplo tan raro
a perfectos y a imperfectos
para imitallo y mirallo. +
ciñe una cuerda su cuerpo
cuerdo en todo y acordado
pues con la cuerda concuerda
los quereres discordados.
Sus pies descalços por tierra
mas por el cielo descalços
siempre en vela sus sentidos
y de velar desvelados.

13

DE LA NATIVIDAD

Con las escarchas y nieves
el mundo parece cano

y estar cano le esta bien
teniendo cinco mil años
Como a viejo pues los yelos
le tienen tan mal tratado
que con el trato parece
de muerto vibo retrato
En tiempo de tan mal tiempo
con temple tan destemplado
nace en el Dios hecho brasa
a abrasallo y abraçallo.
a nacido por sanarle
los nacidos del peccado
y por curar sus beninos
el naçe benigno y manso.
y aunque delicado niño
de saber tan delicado
que los más altos secretos
no se le pasan por alto.
naçe sin sol porque el solo
el mundo pone tan claro
que pasa claro y alegre
la noche de claro en claro.
entre pajes celestiales
y sobre pajas estando
no se dormira en las pajas
Dios hecho divino grano
porque a tomado los hombres
en sus ombros y a su cargo
y gemira con la carga
hasta dar della descargo.
y entanto que no le da
nos da por prendas su llanto
prenda de infinito precio
tanto vale el entretanto.
mira el alma de la virgen
a la de el que la a mirado
son el mirador los ojos
admirables y admirados
hablense con los affectos
affectos y no affectados

que es aficion sin ficcion
la destos affectos santos
el pecho se les ablanda
con aqueste mirar blando
mas a quien no ablandara
lo que estan con el hablando.

14

DE LO MISMO

Recostado en un pesebre
sobre las sobras del heno
que sobra a los animales
por tener sobrado pienso.
Un forçado del amor
tiene por serlo sujetos [13]
al fuego el coracon todo [14]
el cuerpo todo a los yelos.[15]
Riega con lagrimas dulces
un portal medio deshecho
portal que debe gran porte
por tal deporte de riego.
que es del acostado en pajas
y a costado mucho al cielo
que gasta toda su costa
el dar este bien al suelo
viene el forçado a dar fuerças
al que por fuerça muriendo
si de sus fuerças tomare
por fuerça vibira presto.
es forçado y esforçado
y tiene tan gran esfuerço
que aunque sin fuerças pareçe
hara fuerça al mismo infierno

13. Tachado: *enclavados por querello.*
14. Tachados: *ambas manos con el frio / a las lagrimas los ojos.*
15. Tachado: *y ambos ojos con el cielo.*

querellase tiernamente
como niño no lo siendo
en la razon, en la fuerça
en el peso, y en el seso.
Quexase del alma mia
tan desalmada la viendo
que sus amores del sea
y amor no quepa en su pecho.
Mira para consolarse
a la madre del consuelo
que es la suya por ser el
remedio de desconsuelos
a el le mira una donzella
como su madre, por sello
donzella por don sellada
con virginidad por sello.
con este mirar se alivia
de los no livianos pesos
que de los hombres le cargan
los livianos pensamientos
que con ser livianos pesan
mas que el mas pesado hierro
y con pesar dan pesares
sin quenta, medida, y peso.
siendo pues de tanto tomo
los tomò sobre su cuello
y tomandole debaxo
agora le oprimen ellos
y en no matalle la carga
que siendo niño tan tierno
toma a su cargo, declara
que tiene a Dios en el cuerpo.

15

DE SAN GERONIMO

En un monte que compite
con las mas altas espheras

por estar cerca del cielo
si estarlo puede la tierra.
Geronimo desdeñando
de la fortuna la rueda
entre los riscos arrisca
su carne por verla muerta
es supuesto que su puesto
de los mas subidos fuera
si el no se uviera propuesto
tener las honrras postpuestas
es de muy poco sujeto
porque mucho se sujeta
a quien le quiere haçer
un gran sujeto en su iglesia
El a su carne a dexado
y su carne no le dexa
aunque el se pone en los huesos
por espantarla siquiera
Da con piedras en su pecho
como si fuera de piedra
y consigo en JesuXº
piedra fina de firmeza
Ponese al rigor del frio
y del sol a la inclemencia
no se sustenta de carne
porque la carne no cresca
y pudieramos decir
de la piel que le rodea
que es un cuero de las indias
hecho de rayzes de yervas
Parece a los que le miran
por ser tan chica su cueva
/o/ y estar el tan descarnado [16]
unos huesos en la huesa.[17]

16. Tachado: *y estan tan en los huesos.*
17. Tachado: *el difunto y ella huesa.*

16

DE LA NATIVIDAD

amarrado al duro vanco
del mundo mortal galera
las manos en el trabajo
y los ojos en la tierra
el hombre forçado triste
mirando a Bethleem se quexa
al desconcertado son
de sus gemidos y penas
las lagrimas que derrama
pueden ablandar las piedras
y esforçandose el forçado
habla de aquesta manera.
o venturoso portal
puerto del alma que pena
Theatro donde se an hecho [18]
mil pastoriles comedias
dame nuevas de mi Dios
y dime si an sido ciertas
las lagrimas amorosas
con que tu pesebre riega
porque si es verdad que llora
en tus pajas mi miseria
bien puedes al mar del sur
vencer en lucientes perlas
mas ay que no me respondes
falsa debe ser la nueva
aunque o no lo puede ser
o Dios su palabra quiebra
porque el termino es llegado
que señaló de su ausencia
con cuya esperança sola
no me tienen muerto penas
Dame pues portal sagrado

18. Tachado: *albergue que siempre fuiste.*

a mi demanda respuesta
que no te faltan palabras
pues a la de Dios encierras
dixo, y en esto descubre
esquadras de angeles bellas
y comiença con su vista
el forçado a tomar fuerças.

17

DE LA NEGACION DE SAN PEDRO

Pedro cuya fee no muere
en fee de aquella palabra
que os dio el autor de la fee
por fee de que mucho os ama
Como la fee no guardastes
a quien debistes guardarla
mirad que en negar la fee
queda vuestra fee afeada.
ser vuestro coraçon Piedra
mostraron vuestras palabras
mas debe de ser, de cera
pues iunto al fuego se ablanda.
no os afrentais de rendir
a una muger vuestra espada
que no vastos de tormentos
ni oros de premios iugava!
Con despecho echais del pecho
a quien os tiene en el alma.
y por vos con pecho fuerte
dava su pecho a la lança!
mirad que es muy poderoso
aunque ahora sufre y calla
pues por su virtud un gallo
os hara llorar si canta.
Pedro volved y miraos
en ojos que tanto os aman
en ojos que sin enojos

aunque los negais os llaman.
Christo os llama con miraos
llamaos y levanta llama
de amor en vos, y con ella
del otro fuego os levanta.
con los rayos de su vista
os hiere, y hiriendo saca
como el otro de la piedra
de vos dos arroyos de agua.
son arroyos caudalosos
caudalosos porque vastan
el caudal que ellos os dan
a enriqueçer vuestra casa
dichosos los lagrimales
(lloramales se llamavan
porque para llorar males
fueron puestos en la cara).
por donde estos dos arroyos
con tales riquezas pasan
que vastan para comprar
el perdon de tales faltas
y dichosa el agua dellos
pues labrando a Pedro labra
Piedra de edificacion
de la iglesia, y casa sancta.

18

DE LA MUERTE

1.º

Al son cuerdo de las cuerdas
de cordura y de prudencia
en la vihuela de vida
porque si[e]ndo vida buela,
un officio de difuntos
cantar, si puedo, quisiera
vayase quien no gustare

deste mi requien eternam.
De mil engaños cercados
no vemos como se acerca
ay nuestra cercana muerte
para saltar nuestras cercas
yo mismo que canto ahora
si un punto me detuviera
no cantara mas que un canto
ni hablara mas que una piedra
Digo pues que vendra dia
quando la rara belleza
pierda tu bella figura
y no aya quien quiera vella
quando vera mas el alma
a la luz de una candela
que agora vee a medio dia
quando la del sol esfuerça
quando los ojos que vibos
cristales de roca fueran
derocando coraçones
se deruequen a la tierra
y como vidrios quebrados
sirvan para que se vea
en ellos como en espejo
la muerte amarilla y fca.
quando la cara mas cara
tan barata ya se venda
que miralla cara a cara
por caro precio se tenga
y a las delicadas manos
que en todo la mano llevan
y a todos les den de mano
y aun de pie si las encuentran
y de los rubios cabellos
de que mil animas cuelgan
cuelgan doblados gusanos
que por ellos se descuelgan.
quando se aparten los dientes
de las descarnadas muelas
muelas por estar molidas

y no porque nada muelan
quando el pecho de marfil
a quien oy el mundo pecha
a la tierra pague pecho
andando pecho por tierra
y la cabeça cargada
de perlas y ricas pieças
hecha pieças sobre ti
tenga una carga de piedras.
y perdiendo el proprio nombre
lo tome de calavera
porque quien cala vera
en que paran las cabeças
quando por la cama blanda
la tierra dura suceda
dura que al que en ella dura
durar mucho no le dexa
y por ropa libre y ancha
iusta y angosta librea
y por las joyas la hoya
y las piedras por las perlas
por el oro el lloro triste
prisiones por las preseas
por las presas de faysanes
de los gusanos las presas.
seran los reyes del mundo
deshechos de hechos tierras
gusanos los mas galanos
polvo sin dueño las dueñas
razon es pues aprestarnos
que la muerte viene presta
y en su presto y breve trance
aprestarse solo presta.
con la consideración
paseemos la carrera
carrera que emos de dar
sola una carrera en ella.
y quien la memoria desto
tiene por agora presa

entonces la presa rota
le molera de represa.

19

2.º

Yo rindo gracias al cielo
que antes que mi muerte venga
me venga de mis engaños
que el desengaño me venga.
quando fuere Dios servido
(y sera presto) que muera
no siento quien de sentido
sentimiento alguno sienta.
todos se mostraran duros
quando me muestre de cera
de cera porque será
mi color de cera añeja
no me vestiran de blanco
por ser color de innocencia
un negro vestido negro
me pondran por mas tristeza
una sotana delgada
no por serlo, mas por vieja
sotana con que me ensoten
en el sotano de tierra
pondran unas velas tristes
a mi triste cabeçera
velas que me velen muerto
con sus luçes medio muertas.
quando el tiempo se llegare
de echarme la puerta fuera
vendran todos los de casa
vestidos como de fiesta
aun para echarme de sí
no avra quien me tome acuestas
y quien lo hara forçado
dira que le faltan fuerças

y aqueste sera quiça
de los que si yo vibiera
me traxeran en las palmas
si cumplieran sus promesas
llevaranme todos juntos
con sus cantos a la iglesia
cantos que dan como cantos
golpes de canto en la oveja.
diranme un solo nocturno
porque no les anochezca
picado y no repicado
proprio de curas de aldea.
cantaranle a contrapunto
porque mas solemne sea
digo contra todo punto
sin punta de canto buena.
contralto sera quien cante
tan bajo que no se entienda
y contrabajo sera
el que con trabajo y pena.
avra sus vozes de cuernos
porque les faltan cornetas
haran sus sones sin son
una musica diablesca.
y no acabaran ayunos
porque se daran gran priesa
a comerse y a maxcar
las clausulitas mas tiernas
no dexaran descansar
al mismo requien eternam
antes le llevan cansado
porque corrido le llevan.
mirad que propio descanso
de muy angosta escalera
que tal es por donde sube
al cielo quien alla llega.
cantado pues el officio
que mas de espacio se reza.
casaran mis huesos tristes

por ser huesos con la huesa.
echaran encima dellos
qual que diez capas de tierra
capas de que no se escapan
capa parda, y capa negra.
sobre aquestas echaran
porque el frio me penetra
otras cien capas de olvido
que para sudar son buenas.
esta es la muestra de amor
que el mundo a los hombres muestra
muestra que a quien se mostrare
su vanidad le demuestra.

20

3.º

Puesta mi carne en el puesto
donde mereçe estar puesta
depuesta del ataud
y a los gusanos dispuesta
abraçada estrechamente
con arena, tierra, y piedras
que entre los braços se ponen
y a de abraçallas por fuerça
apartareme de todos
porque se van y me dexan
los vivos van con los vibos
los muertos con tales quedan
iran todos muy modestos
y no por guardar modestia
sino porque hambre dura
les humilla las cabeças
a la par nos sentaremos
aunque no en mesas parejas
ellos en las tablas altas
yo en la picola de tierra.
su pan sera de harina

el mio sera de arena
ellos comeran carnero
carne no vera mi mesa.
ay ausente pobretillo
si vibieras como vieras
muchas cosas no ser cosas
sino palabras que buelan
vieran que el favor del mundo
y dicha que mas se precia
es dicha tan desdichada
que es dicha, mas nunca hecha.
y vieras como es el traje
que se trae en esta era
no de lo que era otro tiempo
quando el tiempo mejor era.
de tafetanes doblezes
dobletes digo, se arrean
tafetan doble y liviano
que se da en poco aunque seda.
ya no se pliegan los sayos
los coraçones se pliegan
plegados andan de dentro
lisos y llanos de fuera.
si en almoneda sacaran
deste siglo la moneda
no ay un escudo cenzillo
con que escudarte pudieras
doblones son los que corren
y a muchos dellos desprecian
de solos los de dos caras
estima tienen y quenta
volviendo pues a mi quento
y dexando aquestas quentas
de la mesa se levantan
oygamosles lo que quentan
si alguno a cuento me trae
como ya no soy de cuenta
hacele callar el otro
o que quente cosas nuevas

el muerto, dize, reposa
Dios en el cielo le tenga
y el para si tenga aquesto
de no tratar cosas de esas
porque muchos ay presentes
a quien se les representa
muertos en tratando dellos
y no quieren tal presencia
este es el que por vos quiso
trastornar las diez espheras.
ya no solo las trastorna
mas atras torna y os niega.
vistes que rezia amistad?
en mi verdad que es mas rezia
que esta amistad la mitad
del hilo de un arañuela.
alma pues si tienes seso
porque no asesas, y cesas
de prender tu coraçon
en tan desprendidas prendas.
de aqui adelante veremos
como adelantas tu piedra
pues que te he puesto delante
lo que adelante se encuentra
verdad es que aunque tengamos
destas cosas cierta ciencia
los que mueren solos tienen
con experiencia evidencia.

21

DE LA RESURREÇION DE Xº

Quando en la plaça del cielo
entra el toro de la zona
lleno de ramos y flores
verdes, tiernos, blancas, rojas.

que con su gran influencia [19]
ramos y flores hermosas
en los arboles y prados
nacen, creçen, salen, brotan
quando la aurora rosada [20]
de mil rosas se corona
y echando fuera la noche [21]
fea, triste, negra, y floxa.

quando con dulce rocio [22]
como con menudo aljofar
adorna, pule, y guarneçe
tierra, y plantas, yerva, y rosas
desque el sol alegre deja [23]
el regaço de la aurora [24]
y al ayre con su luz pura [25]
raya, pinta, estofa, y borda.

quando las aves embian [26]
desde [27] las ramas ojosas
sus voces a los oydos [28]
claras, dulces, y sonoras [29]
quando su dulce armonia [30]
al çielo mas al[t]a toca
despues que los ayres claros
hiende, pasa, rompe, y corta
otro sol divino y santo
descubre su frente roja
y con sus rayos al mundo
hiere, raya, alumbra y dora
y su musica compuesta

19. Tachado: *Porque con su luz fecunda.*
20. Tachado: *ya que* substituido por *quando.*
21. Tachado: *del mundo* substituido por *fuera.*
22. Tachado: *y con el fresco rocio.*
23. Tachado: *el sol con su luz alegre.*
24. Tachado: *saliendo tras el* substituido por *el regaço de la.*
25. Tachado: *con mil labores el ayre.*
26. Tachado: *derraman.*
27. Tachado: *de entre.*
28. Tachado: *que son encanto* substituido por *a los oydos.*
29. Tachado: *blandas, doctas* substituido por *y sonoras.*
30. Este verso y *los siete* siguientes, añadidos al margen.

saliendo de entre las ojas
a las mas altas espheras
buela, sube, llega, y toca.
que por ser de agudas vozes
esta musica sonora
por medio del ayre claro
hiende, pasa, rompe, y corta.
y a qualquiera que la escuche
si ay alguno que la oyga
el pensamiento le rinde
prende, tiene, lleva, y roba.
en este tiempo dichoso
descubre su frente roja
el sol divino y al mundo [31]
hiere, raya, alumbra, y dora
vencida la niebla espesa [32]
de dolores y congojas
con su vista comunica [33]
gozo, bienes, gloria, y honrras [34]

gusto, gozo, gloria, y honrra.

———

acabada la batalla.
y avida della victoria
le parecen sus trabajos
ayre, sueño, humo, y sombra.

———

descubre roja la frente
porque qual rubi la adorna
la señal en otro tiempo
fea, triste, cruel, penosa.
ya la herida del pecho
en rico joyel se torna

31. Tachado: todo el verso.
32. Tachado: *levantase de las aguas* substituido por *vencida la niebla espesa.*
33. Tachado: *y en su lugar tendra siempre.*
34. El manuscrito deja los dos versos.

burlandose de la lança
brava, fiera, dura, y tosca.

———————

vamos pues a dar la nueva
a nuestra reyna y señora
del sol madre y sola ella
madre, virgen, hija, esposa.
en albricias le pidamos
de nueva tan venturosa
nos alcançe en tierra y cielo
flor, y fruto, gracia, y gloria.

22

DE LA ORACION DEL HUERTO, Y PRISION DE Xº
NUESTRO SEÑOR

el sol huyendo a la posta
esconde su frente clara
clara pues en claridad
las cosas todas aclara.
por no ver a Dios en manos
de la hebrea gente ingrata.
manos que le den de mano
y en el mil desmanes hagan.
con la capa de la noche
sus rayos encubre y tapa
rayos mas no de los rayos
que tienen al mundo a raya
que si dessos rayos fueran
al mundo los despachara
despachara con despacho
que a parte tal despacharan.
quando la santa ciudad
cubierta de sombras pardas
sombras que porque son sombras
de noche asombran y espantan.
desamparola tanbien

cristo con ansias del alma
alma que en el alma tiene
todas las humanas almas
dexola y entro en un huerto
a donde a Judas aguarda
aguarda por no guardarse
de los golpes que le aguardan
y prostrado en oración
entre las ojosas ramas
ramas que enrraman el huerto
muchas lagrimas derrama
mas con la fuerça que pone
en sangre todo se baña
sangre que estanqua la sangre
de por quien el se desangra.
con las gotas que distila
se tiñen las verdes matas
matas que matan de amor
de Dios, y al del mundo matan.
matanle por quedar tintas
en tales tintes las plantas
plantas en quien planto christo
de sus pies santos las plantas
desde alli vino a los suyos.
durmiendo a todos los halla
halla y ellos son hallados
pues los perdidos se hallan.
vino y con cuydado vino
que moran en sus entrañas
moran y enamoran ellos
a su alma enamorada.
en aquel pesado sueño
hablandoles pone tasa
tasa que tasa las cosas
que para el cielo se tasan.
ellos abrieron los ojos
con aquella vista grata
vista, y tal vista que absuelve
en vista y revista faltas.
a penas pudo acabar

de decir una palabra
palabra que labra y obra
que no es hombre de palabras.
quando besandole iudas
para entregarle le abraça
abraça, mas no abrasado
de su amor en vibas brasas.
llego mucha gente luego
de hierros y armas cargada
hierros que cometen yerros
estando en manos erradas.

con una palabra Xº
a toda la turba espanta
turba, que se turbo luego
y en tierra cayo turbada
veis por el suelo las fuerças
de las azeradas lanças
lanças que en aqueste lançe
fueron en tierra lançadas
mas christo con su poder
de la tierra los levanta
levanta a quien levantado
testimonios le levanta.
y dexa que sean sus manos
con cordel y cuerda atadas
cuerda y cordel sin cordura
pues a cordero tal atan.
llevanle de aqui arrastrando
y ceso, porque me arrastran
arrastran porque rastreo
el astro que dios dexava.

23

DE LA NATIVIDAD

El cielo con larga mano
nos a dado el feliz tiempo

en que iuntamente paçen
leon, buey, lobo, y cordero.
estavan de aqui adelante
por la templança de Febo.
en qualquier ocasion verdes
olmo, vid, nogal, y almendro.
y seran por la clemencia
deste celestial tempero
iguales en qualidades
iulio, octubre, abril, y enero.
porque Dios a ya baxado
de los palacios del cielo
y en un portal a nacido
niño, tierno, blanco, y bello.
naçe de madre donzella.
madre que le esta ofreciendo
puesta iunto al pesebre
ojos, alma, vida, y pecho.
iunto del pesebre dixe
porque esta dios en el puesto
que quiso escoger por cama
granças, paja, yerva, y heno.
y aunque naçe niño pobre
ser Dios nos esta diciendo
el esfuerço con que sufre
frio, escarcha, nieve, y yelo.
y aunque esto no lo dixera.
pudieramos decir esto.
la beldad de su figura,
gesto, talle, peso, y seso.
este si, que es dios de amor
y no aquel rapaz flechero
a quien pintan con razon
niño, vil desnudo, y ciego.
oy nace quien en amar
es un castillo roquero.
no como el otro muchacho
falso, vano, leve, incierto
a todos en este dia
cabe parte de contento

oy todo se regozija
angel, hombre, cielo y suelo.
a los pastores avisan
los angeles deste hecho
y ellos vendran a ofreçer
leche, lana, miel, y queso.
y los reyes avisados
por el celestial luzero
a su rey vendran a dar
pecho, mirra, oro, y encienso.

24

DE LOS REYES MAGOS

Una noche salio a luz
o la luz salio una noche
de un nuevo sol en la tierra
para dar luz a los hombres.
y a duras penas se vido
en nuestro bajo orizonte
quando enrriquecido el oriente
con sus nuevos resplandores.
que el oriente es quien primero
los rayos del sol recoge
aunque este nuevo sol nasce
donde el viejo sol se pone.
despiertos pues por el sol
los reyes del se disponen
a hacerle sacrifficio
que por Dios le reconocen
al viejo sol adoravan
al nuevo dan ya sus dones
dones de reyes reales
que no son dones de nombres
al nuevo sol los offrecen
viendo que destos dos soles
se da el viejo por vencido
pues al nuevo no se opone

antes luego que le siente
huye y sus rayos esconde
y asi el nuevo hiço dia
quando el otro hiço noche.
porque si se detuviera
en el cristalino coche
con la luz del nuevo sol
fuera avergonçado el pobre.
qual suelen avengonçarse
quando el sus rayos descoge
las mas lucidas estrellas
que viendolos se trasponen.
tres coronas pues los reyes
a los pies de su Dios ponen
tres para que signifiquen
que es emperador del orbe.
y piden que en vasallaje
los presentes suyos tome
que traen oro, encienso, y mirra
por ser el rey, Dios, y hombre.

25

DE LA NATIVIDAD

Al puerto de un portal pobre
a llegado en salvamento
la nave Santa maria
cargada de oro del cielo
no quiero dezir cargada
porque le cargue traerlo
que no es peso de gran carga
aunque es cargo de gran peso.
luego que llego la nave
del pobre portal al puerto
sin obras muertas algunas
y sin lastre de defectos
no rota ni despalmada
de palma de casto zelo

con velas de vigilancia
y farol de sancto fuego
acabado su viaje
con muy favorable viento
sin borrasca ni tormenta
aunque lleno de tormentos.
el cielo le hizo salva
y salva le hizo el suelo
porque trae dentro el thesoro
con que seran salvos ellos.
al descargarse del oro
cargò todo el mundo a verlo
toda suerte, todo estado
rey, angel, y ganadero
porque de muchos millones
que la nave traxo dentro
algunos eran del rey
y de lo comun el resto
cada qual con su posible
procura llevar refresco
qual da musica, qual miel
qual da mirrha, qual da queso.
En vez pues de gallardete
colocaron sobre el puerto
para noticia de todos
un claro y nuevo luzero
venid pues y llevad hombres
del oro y thesoro vuestro
que Dios por eso le tiene
sin llave, guarda, ni sello.
y reparad que entre pajas
el oro hallareis puesto
no tomeis paja por oro
que tienen un color mesmo.

26

OTRO

Aloxo su humanidad
en una pajiza caja
el principe de los cielos
que a la baja tierra baxa.
de las lagrimas que vierte
pareçe que algunas llaman
cayendo sobre los pechos.
a quien dentro del morava
el alma finge que son
correos que le avisavan
que van a correr la tierra
y que vea si algo manda
dulces lagrimas les dize
de quien cuelga mi esperança [35]
las palabras que dixere
como pudierdes llevaldas
pasareis ante los ojos
de mil criaturas ingratas
que tienen puesta su gloria
en florecillas que pasan
aqui me importa que todas
declareis las vivas ansias
deste principe del cielo
que a la baja tierra baja
y si en vosotros a caso
reparare qualquier alma
procurad darle a entender
de mi coraçon las llamas
Pero no se si me corra
en amar cosas tan bajas
y que en un pecho de Dios
quepan tan tiernas entrañas
por brabo me tiene el mundo

35. Tachado: *de vosotras fio el alma.*

y muestranlo mis azañas
pero la fuerça de amor
a vuelto mis fuerças flacas.

27

OTRO

Fixas en tierra las luzes
que dan luz al rojo apollo
de mas rica pluvia llenas
que la de los granos de oro
estava la virgen madre
de Dios hijo y suyo proprio
las rudillas por el suelo
y que suelo tan dichoso!
fixados pues en la tierra
los ojos y los hinojos
quiere asi tener los unos
y duda en alçar los otros
porque la luz de sus soles
si diese al niño en los ojos
le robara con sus rayos
del sueño dulce el reposo
y tanbien porque si mira
el niño que lo ve todo
y dentro dellos vee a Dios
viendo su divino rostro
no querra leche, ni sueño
satisfecho con el gozo
de ver su rara beldad
en lugar tan venturoso
Por otra parte quisiera
con el rayo caluroso
de sus dos soles divinos
quitar el yelo penoso
y desterrar los vapores
y nublados pluviosos
que santas lágrimas vierten
por el rostro de sus ojos.

Pero sacola de duda
el niño con un solloço
pidiendo que le eniugase
ay los ojitos llorosos.
porque no viendo con que
los suyos alço y mirolo
el agua huyo del fuego
y el niño quedo gozoso.

28

MUERTE

Muerte poderosa
poderosa y fiera
principio de pazes
y cabo de guerras
asi por una hora
dexes de ser fea
para que los hombres
menos te aborrezcan.
Dime yo te ruego
si rogar te dexas
antes que me lleves
para que lo sepa
porque estas contino
descarnada y seca
aviendo comido
carne como tierra.
Porque te nos pintas
siempre caricuerda
pues que de nosotros
burlas tan de veras
Porque tan pelada
pues a tantos pelas
de pelo y de pluma
y aun quitas la cresta.
Di tambien porque
tan fea te muestras

pues fuerças no vastan
a quebrar tu fuerça
y porque en la mano
la guadaña enhiesta
pues sin hierro hieres
y con el aciertas
Porque tan feroz
pues a tantos llevas
como pajaritos
sin gloria ni pena.
y dinos porque
de pies en la huesa
pues vistes los templos
de bronzes y piedras
Porque finalmente
calva la cabeça
pues a tantas cortas
ricas cabelleras
Porque demas desto
no pones en ella
algo de lo mucho
que poner pudieras
Pues quitas a tantos
las suyas y de ellas
coronas Thiaras
mitras y diademas
mas ay muerte mia
no me des respuesta
que de imaginarte
las carnes me tiemblan.

29

DE SAN ALBANO PROTOMARTIR DE INGLATERRA

De blanco vestido todo
por ser todo puro y blanco
entra en campo un caballero
como vencedor del campo

la cruz lleva por espada
y con espada de palo
piensa quebrantar los hierros
del tyrano mal errado
Por lança lleva la fee
y de su lançe fiando
por las puntas de las lanças
animoso se ha lançado
En el escudo del cuerpo
donde repara los tajos
esta cifra lleva escrita
Alba no sino sol claro
tan gallardo como fuerte
tan fuerte como gallardo
que no es en nada gallina
y en vençer fue siempre gallo.
y aunque por el campo viene
muy mas que las nieves albo
pues aun el nombre lo muestra
que quiso llamarse Albano
quedar en blanco no piensa
aunque si quedar por blanco
entre los rojos matizes
a los tyros del tyrano.
y asi fue porque vencidos
en palenque sus contrarios
el sancto martyr quedo
todo en su sangre vañado
y en premio de la victoria
de Alferez le dan el cargo
protomartyr de su tierra
y capitan de christianos.

30

PRIMAVERA

La tierra toda vestida
de tela de primavera

cruzada galanamente
con cintas de plata y perlas
muy arrebolada y blanca
con las rosas y açuçenas
hermosa pero muy grave
por el abril se nos muestra
Porque el toro de la zona
quiere casarse con ella
bello y galan sale el toro
si ella esta galana y bella
la piel es hosca y obscura
toda sembrada de estrellas
entrambos cuernos dorados
solo las puntas de fuera
en ellos una guirnalda
que le ciñe la cabeça
de torongil y de mirto
de jasmines y mosquetas
ay musica y collacion
en estas bodas y fiesta
los musicos son las aves
y paxaros que gorgean
panes de rosa y açucar
flor de azahar en conserva
por ser fruta deste tiempo
da por collacion la tierra
mil frutos de bendición
del casamiento se esperan
y frutas bien zazonadas
al tiempo de la cozecha.

31

NATIVIDAD DE Xº

De la corte de su padre
al suelo baja de priesa
El principe de los cielos
y señor de las estrellas

y aunque naçe a medianoche
apesar de las tinieblas
antes de naçer divisa
de su ciudad las almenas
aquel chapitel es mio
con la honda y cinco piedras
armas de david mi padre
que fue señor destas tierras
la gran torre de Bethleem
apostare que es aquella
que en fee de sus muchos años
pocas almenas conserva
o torre de mi esperança
o esperança de mi ausencia
casa y solar de mis padres
testigo de mi nobleza
si como yo te conosco
los hombres te conocieran
desta tierra fueras gloria
y embidia de las agenas
dixo y entrando en Bethleem
el vientre virginal dexa
y del albergue pajizo
el humilde suelo besa
Dio seña de niño tierno
y al ruydo de la seña
en el pecho de la virgen
cuydado y amor despiertan
no osa tocar con sus braços
del infante la belleza
y por esto mandò al alma
que le abraçase por ella
un rato callo el infante
viendo a su madre suspensa
que donde sobra el amor
las palabras no son buenas
Pero dixole la virgen
al cabo de una gran pieça
en que la fuerça de amor
rompio al silençio la fuerça

hijo de mi coraçon
como os hallais en la tierra?
llegais tan lleno de amor
como los hombres esperan
siente poder vuestro braço
para quebrar la cadena
en que el principe del mundo
le tiene puesto en afrenta?
quiso responder el niño
y atajaron la respuesta
los angeles y pastores
que a dar el parabien llegan.

32

ASSUMPSION DE NUESTRA SEÑORA

Hermosamente vestida
del brocado de la gracia
cuyos altos ricos son
fee charidad y esperança
sube la reyna maria
a la corte soberana
y como reyna absoluta
entrar quiere coronada
es la corona de estrellas
en oro fino engastadas
que son las piedras y perlas
que lleva la tierra sancta
Entoldanse ricamente
las calles y las ventanas
de telas de resplandor
con rayos de sol bordadas
van delante de la reyna
muchas y lucidas danças
danças por ser ya del cielo
sin cruzados ni mudanças
suba dizen suba suba
la que se puso tan baja

que la tomo Dios por madre
y ella se dio por esclava
llegue la paloma llegue
a aquesta celestial arca
acabado ya el diluvio
de tormenta sangre y agua.
la nave sancta maria
sea sea bien llegada
al cabo de su viaje
cabo de buena de [sic] esperança
el puerto de la florida
a mil dias que la aguarda
entre muy en ora buena
y en tal la goze su patria.

33

DE LA NATIVIDAD

En una tienda pagiza
albergue de ganaderos
sin adorno las paredes
y por techo el claro cielo
Tendido sobre unas pajas
yaze un triste cavallero
el cuerpo lleno de frio
y el alma llena de fuego
Contemplando esta un retrato
que tiene pintado al pecho
de la humanidad ingrata
blanco de su pensamiento
y viendo que era la prenda
de que esta prendado y preso
a los ojos con que llora
dixo suspirando aquesto
si pensais amargos ojos
apagar con agua el fuego
detened vuestras corrientes
que es escusado el intento

lagrimas son agua ardiente
desta llama proprio cebo
llama viba de alquitran
que con agua va cresciendo
mas si borrar pretendeis
aqueste retrato bello
mirad que es tinta de amor
con que se pinta de nuevo
olio con que queda al olio
defendido contra el tiempo
sin temor de absencia larga
principio de olvido y zelos
vuestro celo tan piadoso
lagrimas yo lo agradesco
poned os suplico el fin
en el fin de mi deseo
ablandad pues soys tan blandas
desta ingrata el duro pecho
pues dizen que el agua cava
el peñasco mas roquero.

34

OTRO DE LA NATIVIDAD

En el ancho mar del suelo
Theatro de mil tragedias
cuyas ondas levantadas
mil naves en agua entierran
En la rota y fragil barca
de nuestra naturaleza
al punto que a los dolores
el sufrimiento vozea
amayna amayna la vela
amayna la vela.
un esclavo del amor
forçado de su galera
con ambas manos al remo
y ambos pies en la cadena

muerto el pecho en ansias vibas
dize al alma por quien pena
amayna etc.
vesme aqui captivo y preso
al rigor y a la inclemencia
de las olas importunas
por no sufrir las de ausencia
no ofenda mas, alma mia,
tu mudança a mi firmeza
dexa al viento pues es viento
y solo vende apariencias
amayna etc.
ya de fuerte soy forçado
mis fuerças amor las fuerça
ya mis espaldas divinas
al comitre se aparejan
por ti sufriran açotes
como forçadas y presas
y seran empresas dulces
si amando amaynas mi pena
amayna amayna la vela
amayna la vela.

35

DE LO MISMO

Temblando de puro frio
con el rigor de la escarcha
esta el principe del cielo
sobre grançones y pajas.
Tiene a su madre la reyna
iunto al pesebre sentada
la qual penada de verle
le dize con [v]oz penada.
que es lo que teneis mi vida
de que llorais mis entrañas
que podeis temer rey mio
y de que tembrais mi alma.

El mirandola responde
si mirarla le dexavan
lagrimas que por los ojos
el coraçon distillava
Temo al ayre por ser frio
y donde le dan entrada
mil voluntades resfria
mil vivas memorias mata
Temole por lisongero
y adulador de socapa
pues por regalar el rostro
suele dañar las entrañas
Temole por enemigo
de firmeza y de constançia
Pues derrueca el firme robre
y dexa la fragil caña
Temole también señora
porque tiene muchas caras
vistiendo las qualidades
de la tierra por do pasa.
Temole por ser sujeto
solamente de palabras
pues para ningunas obras
es materia acomodada
Temole por ser parcial
en los officios que trata
pues aviba mi gran fuego
y el menor del hombre mata.
Temole por indiscreto
y de poca confiança
pues dexa el oro en el suelo
y al polvo seco levanta
Temole por ser empresa
de la mundana arrogançia
que tiene mi sceptro y silla
contra razon ocupada:

36

OTRO SUPER ILLUD AP[ER]I MIHI ETC.

Sus blancos caballos Phebo
en el mar salado vaña
y de la labor del dia
la sutil mano levanta
De los empinados montes
la enbidiosa noche baja
borrando con negras sombras
quanto el pinta, dora, esmalta.
a vengar aquesta iniuria
sale su querida hermana
y por los del sol dorados
tiende sus rayos de plata
En demanda tan honrrosa
todo el çielo le acompaña
y de verde y de argentado
matiza monte y campaña
los chapiteles y torres
visten de plata cendrada
de limpio christal las calles
y texados de las casas.
en este tiempo un pastor
que en fuego de amor se abrasa
de su choça pobre sale
que mal reposa quien ama
los fuegos en que se apura
causa una pastora ingrata
cuya belleza y ausençia
aviba y sopla su llama.
En saliendo reconoçe
al pastorçico diana.
y lastimada de verle
para darle luz se para.
En pocos pasos del cuerpo
del alma jornadas largas
llega a la casa que es nube

que su sol eclipsa y tapa
ay dize querida esposa
si amor como a mi te trata
que largas se te avran hecho
las breves horas que aguardas.
que presto responderas
a las vozes de mis ansias
abriras a mis suspiros
antes que a mi cuerpo abras.
y antes de poner la mano
besa la puerta y aldava
da dos golpes amorosos
y el amor mil en su alma
clava los ojos y oydos
en la ventana y aguarda
si su claro sol asoma
o si le responde y habla.
abre amada hermana mia
dize viendo que se tarda
despierta al son de mis quexas
pues eres dellas la causa.
mira mi rubia cabeça
blanca con la blanca escarcha
y el ruçio en mis cabellos
hechos ya de perlas sartas.
y que a vueltas del rocio
con lagrimas que derraman
mis ojos tienen tus puertas
de mil diamantes sembradas
si es duro tu coraçon
si de piedra tus entrañas
porque diamantes tan finos
no le vencen y le labran
Tarda su esposa en abrirle
que en blando lecho descansa
un poco tosca y grosera
y a tan fino amor ingrata
mas presto recibe el pago
de su tibieza y tardança

porque en un punto de amor
mucho se pierde o se gana.
que su pastor se despide
diziendo descansa hermana
que el amor que a mi aflige
no me da cuerda mas larga.

Soberana reyna mia, 1
Sus blancos caballos Phebo, 36
Temblando de puro frio, 35
Una doncella mas pura, 8
Una noche salio a luz, 24
Un vulto casi sin vulto, 12
Virgen corona del mundo, 5
Yo rindo gracias al cielo, 19

HERNANDO DE SORIA GALVARRO

(Dos poesías inéditas)

Las líneas que van a continuación podrían excusarse y ser sustituidas por otras en las cuales no hubiera lugar a la conjetura, si los archivos sevillanos y cordobeses fuesen puestos a contribución de manera sistemática. Pero como por ahora ello no es posible, vamos a intentar la fijación de algunas fechas, entresacando de aquí y de allá los asideros precisos que nos ayuden a perfilar un poco el autor de dos poemas muy bellos que aún permanecen inéditos.

No hay, afortunadamente, dudas sobre su autoría porque el nombre del escritor campea en el encabezamiento de ambos y uno es de su letra, aunque sí puede haberlas con respecto a la fecha en que fue redactada una: la otra se escribió en 1628. El estar contenidas en manuscritos únicos (hasta ahora) elimina problemas de transmisión, variantes, etc.

De Hernando de Soria Galvarro se han ocupado los biógrafos de Lope de Vega, de los Argensola y de Medrano porque con los cuatro poetas mantuvo relación cordial, como veremos. Pero la parvedad de su obra conocida no ha estimulado en los comentaristas el deseo de acopiar notas para tejer una narración biográfica: puede decirse que estamos casi como en los tiempos de La Barrera, cuando hace un siglo escribía la vida de Lope,[1] si no fuese por algunos documentos de archivo exhumados por la diligencia de Rodríguez Marín.[2]

1. Lope de Vega, *Obras,* I, RAE, Madrid, 1890, nueva biografía por D. Cayetano Alberto de La Barrera; Cf. pp. 114, 115, 116 y 318. La Barrera dice que de las obras de Soria «apenas se conocen algunas muestras».
2. Francisco Rodríguez Marín, «Lope de Vega y Camila Lucinda», *BRAE,* I (1914), pp. 249-290.

Se desprende de ellos que fue hijo de Hernando de Soria que tenía el cargo de tesorero de la Casa de la Moneda de Sevilla y hombre dedicado, además, a negocios varios, alguno de los cuales realiza a nombre de su hijo o poniendo a éste como actor principal. Las primeras noticias de Hernando son, sin embargo, de índole literaria.

Una congregación piadosa, que no hemos podido identificar, celebró en la Navidad de 1591 una Justa literaria, de las tan frecuentes en Sevilla, y en el día de la Pascua de Reyes siguiente se publicó la Sentencia, probablemente escrita en quintillas por el Padre Pineda, jesuita. Como cierre de la interminable relación de cuantos intervinieron en la Justa, figura una semiburlesca noticia de los dones ofrecidos por los congregantes al Niño Jesús y entre ellos aparecen los primos Fernando y Lucas de Soria, hijo este último de Pedro Fernández de Soria (hermano del tesorero) y de su mujer doña Isabel Galvarro:

> Fernando y Lucas de Soria
> asidos bien de las manos
> baylaron sendos villanos
> porque esta puesta su gloria
> en traer los pies libianos.
>   Y entrambos con grande aliento
> haziendo su offrescimiento
> danse a si mismos al niño
> por muñecas o brinquiño
> con que tome algun contento.[3]

Nada nos autoriza a pensar que Hernando y Lucas intervinnesen como poetas: entre los innumerables nombres que figuran, muchos de ellos de jesuitas, v. gr. los PP. Martínez, Alemán, Ignacio, Valladolid, Ángelo, Montes o Hnos. Martínez, Martín, Guillermo, Velasco, Frias o Urtiaga, y otros de seglares, no aparecen en calidad de escritores, al ir comentándose los

---

3.   Ocupa las pp. 139-182 de un Cancionero manuscrito de nuestra biblioteca, compuesto a principios del siglo XVII e inédito.

distintos temas y realizaciones, los de ellos. Debieron de ser simplemente congregantes o asistentes.

El 6 de diciembre de 1593 Hernando el padre, teniendo como fiadores a su hermano Pedro y a la esposa de éste, firma escritura de venta al médico Dr. Pedro de Vidal Clavijo, de 62.500 maravedís de tributo sobre cierta partida de un juro, y cinco años más tarde, según Rodríguez Marín, en 23 de julio de 1598, el jurado sevillano Luis de Medina otorga escritura en favor del joven Hernando, diciendo que por cuanto él (Medina) y Pedro López de Berástegui han formado a medias una compañía para explotar durante seis años el negocio de mármoles, a partir del día 1 de diciembre de 1597, poniendo «doscientos noventa y dos mármoles con sus basas y capiteles, los cincuenta mármoles dellos con sus guarniciones labradas y los ducientos y cuarenta y dos mármoles restantes con sus guarniciones en tosco», declara que la mitad de su aportación pertenece a Hernando de Soria porque le había entregado para ello mil ducados.

Asiste al otorgamiento el tesorero, como padre y legítimo administrador de Soria Galvarro para asentir y ratificar la escritura ya que el contratante es «mi hijo familias». Quiere esto decir que en tal fecha era menor de edad e incapaz, por tanto, para obligarse sin la paterna aquiescencia.

La llegada de Lope de Vega a Sevilla, calculada por Rodríguez Marín a fines de 1600 o comienzos del siguiente año, nos muestra a Hernando de Soria como participante en el grupo literario que en seguida se forma alrededor del Fénix y en el cual figuran desde Arguijo hasta el político don Juan de Vera y Zúñiga. Esta concomitancia ha de reflejarse, como veremos, en el terreno poético y en el humano.

Pero de sus aficiones literarias da prueba también el poeta don Pedro Venegas de Saavedra, quien al dedicar en 1604 a don Álvaro de Guzmán y de Espinosa sus *Remedios de amor* [4] le dice que los compuso «dos años ha en los días de una vendi-

---

4. *Remedios de amor* de don Pedro Venegas de Saavedra. Con otras diversas rimas de Don Francisco Medrano, Angelo Orlandi, Palermo, 1617, 8.º, 196 pp. Se halla en BNM.

mia o poco más tiempo» y que los versos «hasta aora no han
salido de Sevilla i en ella solo los an visto D. Iuan de Arguijo,
D. Iuan de Vera, Fernando de Soria y D. Francisco de Medrano». Fecha la carta dedicatoria en «el Axarafe de Sevilla 30
de otubre de 1604» y hay, por lo tanto, que fijar estas lecturas
entre 1602 y 1604.

En 12 de setiembre de 1603, ya mayor de edad y vi-
viendo en la collación de san Martín, Soria Galvarro da poder a
Juan de Aguilar para cobrar en la Casa de la Contratación de
las Indias, diversas partidas de oro, plata, mercaderías, etc., y el
domingo 19 de octubre del mismo año figura como padrino en
el bautizo de Félix, hijo de Micaela Luján y de Lope de Vega,
aunque en la inscripción parroquial se miente como padre a
Diego Díaz que llevaba ausente largo tiempo. ¡Amistad grande
debió, pues, de unirle con Lope cuando intervino en un acto
de tanta intimidad familiar!

Y justamente es un testimonio de esta cordial frecuentación
la primera obra impresa que conocemos de Soria Galvarro: un
soneto que figura en los preliminares de *El peregrino en su
patria* [5] estampado en Sevilla el año de 1604. Que ya desde
muy joven era harto conocido en el mundillo literario sevillano
lo demuestran unas líneas de Cristóbal de Mesa incluidas en
La restauración de España, [6] poema impreso en Madrid en 1607
pero escrito antes de octubre de 1604, fecha de alguno de los
preliminares:

> Dale Hernando el célebre de Soria
> mas fama que al Eridano Faetonte,
> y por tu ingenio lleva la victoria
> al Tibre y Arno, y de Parnaso al monte,
> buen don Francisco de Medrano, y tiene
> Febo nuevo laurel, nueva Hipocrene.

5. *El peregrino en su patria* de Lope de Vega Carpio [al final: Sevilla,
Clemente Hidalgo, 1604], 8.º, (12)-264 fols. En nuestra biblioteca.
6. *La restauración de España* de Cristóval de Messa, Juan de la Cuesta,
Madrid, 1607, 8.º (8)-186 hojas. En nuestra biblioteca.

Ya aparecen en esta octava unidos los nombres de Soria y Medrano, amistad entrañable que ha de hacer aflorar el nombre de aquel en cuantos trabajos se refieren a éste. Medrano, antiguo jesuita salido de la Compañía a principios de 1602, vive en Sevilla hasta su muerte acaecida en los comienzos de 1607: cinco años de comunicación constante, espiritual y literaria, durante los cuales parece que la amistad se hizo entrañable y flota por todas las alusiones recogidas una atmósfera de comprensión mutua extraordinaria.

La relación entre ambos ha sido puntualizada por Dámaso Alonso,[7] quien ha examinado también las poesías de Soria que se publicaron entre las obras de Medrano tardíamente (1617): tres sonetos intercalados que, como bien dice Alonso, «son, ya causa, ya consecuencia de otros cuatro de éste».

Todavía hay en 1608 un postrer documento administrativo de Soria: en 19 de setiembre se obliga a favor de Mateo de Herrera, mercader, por 2.300 reales de 34 maravedís, tomados a préstamo, para pagarlos en dinero de contado «o en vino que tuviere en mi heredamiento de torre de las arcas» en fin de diciembre del mismo año. ¿Moriría su padre por entonces? Si así fue, la situación económica de la casa tuvo un trastorno muy grave a causa de estar el tesorero completamente arruinado. Hernando mismo nos lo dirá en unos versos de la «Epístola» que publicamos más adelante:

> ...la estrecheza
> en que dejó mi padre mi fortuna
> reducida a la última pobreza.

Quizá eso fuera lo que le obligó a salir de Sevilla. Entre 1608 y 1615 muy poco sabemos de nuestro escritor. Juan Antonio Calderón escoge un soneto suyo que comienza:

> Cuales aras pondré, cual templo dino,

7. Dámaso Alonso, *Vida y obra de Medrano,* 2 vols., Madrid, 1948, 4.º, el segundo en colaboración con Stephen Reckert.

para incluirlo entre las joyas poéticas que esmaltan la *Segunda parte de las Flores de poetas ilustres* que permaneció inédita hasta 1896.[8]

Tal vez permaneció en Sevilla hasta que marchó a Roma en calidad de ayo de los hijos del embajador conde de Castro. Allí le encontramos en 1615 y una curiosa anécdota, transmitida por don Juan Francisco Andrés de Ustarroz nos le presenta el 3 de mayo acudiendo al encuentro de Bartolomé Leonardo de Argensola, en unión de varios caballeros.[9]

En efecto, Bartolomé se embarca tal día en Nápoles, llega a dos millas de Roma y no pasa adelante porque se echaba encima la noche: «saltó en tierra y se albergó en una casina, y adelantóse un criado para avisar de su llegada en casa del Conde de Castro, embajador ordinario en aquella santa ciudad. Luego vinieron en su carroza algunos amigos, y entre ellos Fernando de Soria y Galvarro, caballero de Sevilla, que fue ayo de los hijos del mismo Embajador, después Chantre de Córdoba y Capellán de honor de su Magestad,[10] a quien escribió [Bartolomé] aquella epístola magistral, o por decirlo mejor, arte poética española [...]».

La «Epístola», hermosa ciertamente, ha sido impresa varias veces desde 1634 y justifica por completo el juicio de Ustarroz. De que hubo también amistad con Lupercio hay testimonio en un soneto que escribe Soria loándose de haber triunfado de un amor pasajero, respondido por el aragonés levantándonos un poquito el velo del suceso:

> con llama indigna vuestro pecho ardía
> (fábula al vulgo, a mi penosa historia).

8. *Segunda parte de las Flores de poetas ilustres de España,* ordenada por Juan Quirós de los Ríos y D. Francisco Rodríguez Marín, E. Rasco, Sevilla, 1896, 4.º viii-426-(2) pp. El manuscrito, de 1611, se conserva en Granada, en la Biblioteca del Duque de Gor.

9. Tomamos la anécdota de Lupercio y Bartolomé L. de Argensola, *Rimas,* edición, prólogo y notas de José Manuel Blecua, Zaragoza, 1951, t. II, p. 463.

10. Ignoramos cuándo se nombró a Fernando de Soria capellán de honor de Su Majestad.

El nombramiento de ayo de los hijos de don Francisco Ruiz de Castro y Portugal, conde de Castro, hubo de tener lugar entre fines de 1608 en que todavía se halla en Sevilla, y 1614. Tales hijos fueron Fernando y Alejandro que murieron niños en Gaeta de Nápoles,[11] ya que el tercero y sucesor en los títulos nació en Roma el año de 1613.

Por entonces debió de ordenarse nuestro poeta y comenzó sus gestiones para obtener beneficio eclesiástico. Don Luis de Góngora aspiraba a la chantría de Córdoba, por influencia del marqués de Siete Iglesias a través del cardenal Trejo, deudo de éste. En enero de 1619 y cuando pensaba conseguir el cargo, llegan noticias de Roma avisando de que la prebenda estaba concedida a Fernando de Soria «criado del duque de Osuna» por medio del cardenal Buggeio. Por lo visto el sevillano fue agraciado con dos vacantes previas por Su Santidad, pero como habían «salido inciertas» le compensaban así.[12]

Es posible que al retirarse el conde de Castro del virreinato de Nápoles, Soria continuase allí al servicio de su sucesor duque de Osuna, posesionado el 27 de julio de 1616 y que éste por tal causa favoreciese sus pretensiones. En la corte de Osuna se hallaba don Francisco de Quevedo, pero no hemos logrado hallar conexión entre ambos poetas aunque estamos seguros de que tuvieron frecuentación.

A estas fechas de su estancia en Italia hay que referir las de composición de la delicada «Epístola» que hoy publicamos y en la cual se refiere a un segundo viaje a Roma, siendo todavía ayo de los hijos de Castro. Nada hay en ella que la haga suponer escrita por un hombre de Iglesia o próximo a entrar en ella: incluso cuando habla de su posible retiro se refiere a él como seglar; sí se le escapa el dato de que el poeta cuenta ya cuarenta años cumplidos. Presentes, el amado amigo Medrano

---

11. Las noticias del conde de Castro las tomamos de Fernández de Bethencourt, *Historia genealógica*, passim.

12. La carta de Góngora donde se dan estas noticias está publicada en la edición de Góngora hecha por Millé Giménez, carta 13, pp. 975-976.

y los recordados paseos a la vuelta de Mirarbueno, por los «mustios collados» de Itálica.[13]

Vuelto a España y a Córdoba tomó posesión de la prebenda y de 1619 en adelante apenas si hay constancia concreta de sus actividades, aunque las literarias debieron de ser abundantes, como lo reflejan citas de estimación contemporáneas.

Una larga carta autógrafa [14] a personaje desconocido está fechada en Córdoba a 3 de julio de 1620 y en ella manifiesta inquietudes por los rumores que su corresponsal le transmite sobre el antiguo protector:

> A fe s^{or} q. aunq. enbuelto en todas aquellas fufonerias i donaires q. me da cuidado lo q. v.m. me avisa que se dize del Duque de Ossuna mi s^{or} porq. aunq. creo i se q. no pueden ser sino desatinos i sueños del vulgo sembrados quiça de sus emulos todavia siento mucho q. se de ocasion a la libertad i desatino del vulgo pa. q. ose hablar descompuestamte. de un tan gran Señor i q. tantos seruos. a hecho a su Rei. Tras esto confiesso a v.m. q. ni se aun lo q. se dize porq. ni mi primo ni v.m. q. me escrivieron en esto hazen mas q. insinuar esta platica i v.m. mesclandola con las burlas i donaires con q. me escrive de ordinario. I cierto q. me tiene cuidadoso de saber no solo lo q. ai sino lo q. se dize por vida de v.m. q. sin hazer mui del politico i recatado a lo menos comigo dexe correr la pluma i me escriva primero lo q. se dize (supuesto q. aqui estamos como en los desiertos de la Tebaida) i luego lo que del hecho cree v.m. avisado de mejores originales, que esto ultimo bien se q. no discrepara de mi sentimiento.

En Córdoba a «treze de Abril de 1622 años» firma una

---

13. Se halla en un volumen misceláneo de manuscritos, compilado en la primera mitad del siglo XVII, ocupando los fols. 272-275, biblioteca de The Hispanic Society of America, Nueva York. La descripción puede verse en Antonio Rodríguez-Moñino y María Brey Mariño, *Catálogo de los manuscritos poéticos castellanos existentes en la biblioteca de The Hispanic Society of America (siglos XV, XVI y XVII)*, Nueva York, 1965, t. I, n.º LIX, pp. 352 y ss.

14. El manuscrito autógrafo, sin dirección ni encabezamiento, consta de dos hojas en folio. Se halla en nuestra biblioteca.

aprobación en los preliminares de las *Rimas* de don Antonio de Paredes (Córdoba, 1622), el malogrado trujillano amigo suyo, de Lope, de Juan Rufo y del fino don Pedro de Cárdenas y Angulo. Quizá fue el Soria Galvarro que censuró la obrita de Juan Bautista *Ramillete de documentos cristianos* (Montilla, 1625), no vista por nosotros aún.[15] Dos años más tarde aparece en la gran enumeración de ingenios hecha por don Fernando de Vera en su *Panegírico por la Poesía*[16] (Montilla, 1627), donde se dice que «Fernando de Soria muestra, escribiendo, mil afectos cultos».

Fechada en 1628 se halla la «Silva a la Nao Victoria» que publicamos ahora por primera vez tomándola del manuscrito autógrafo y que tiene descollante lugar en la producción del autor.[17]

Las tres últimas noticias que hay de nuestro poeta son de carácter literario. Don Antonio Hurtado de Mendoza le envía una décima, «Al Licenciado Fernando de Soria Galvarro, Chantre de Córdoba, convidándole a comer», en fecha incierta, pues sin ella aparece en *El Fénix castellano*.[18]

En la silva segunda de *El laurel de Apolo,* no olvida Lope de Vega a su viejo camarada sevillano de treinta años antes y le consagra estos versos:

> A Fernando de Soria
> Llamaua el Betis, por tener segura
> Del pretendido premio la vitoria,
> Que tanto ingenio y letras le assegura;
> Mas viendole assimismo retirado,
> Dixo a sus Ninfas, en mayor cuydado
> Deue de estar atento,
> No perturbeis su claro entendimiento.[19]

15. El libro se encuentra en la BNM, pero no lo hemos visto.

16. *Panegyrico por la Poesia* [al final: Impresso en Montilla, por Manuel de Payua. Año de 1627], 8.º, 59-(5) fols. Ejemplar en nuestra biblioteca.

17. El manuscrito autógrafo de la «Silva de la Nao Vitoria» consta de dos hojas en folio escritas a dos columnas, excepto la última página.

18. *El Fenix castellano D. Antonio de Mendoça,* Miguel Manescal, Lisboa, M DC. XC., 4.º, (8)-464 pp. Ejemplar en la BNM.

19. Lope Felix de Vega Carpio, *Lavrel de Apolo, con otras rimas...*, Iuan

Y por fin en Zaragoza (1634) aparecen las obras póstumas de los hermanos Argensola y en ellas las composiciones a que antes hemos hecho referencia.[20] Por entonces debía de tener Soria entre los cincuenta y cinco y los sesenta años. Es posible que residiese hasta el fin de su vida en Córdoba, pero hasta hoy no poseemos más datos de nuestro poeta.

Al ordenar estas notas biográficas y al imprimir los dos poemas que ven la luz por primera vez, intentamos estimular a los investigadores sevillanos y cordobeses para que lleven a cabo en los respectivos archivos locales una búsqueda de lo mucho que aún debe estar en ellos enterrado y que contribuirá a aclarar la biografía de un poeta que se nos revela como muy digno de estudio y consideración.[21]

Gonçalez, Madrid, 1630, 4.º, (8)-129-(1) fols. Fol. 19r°. Ejemplar (falto de portada) en nuestra biblioteca.

20.   *Rimas de Lvpercio, i del Dotor Bartolome Leonardo de Argensola,* Hospital Real i General de Nuestra Señora de Gracia, Zaragoza, 1634, 4.º, [30]-502 páginas. Ejemplar en nuestra biblioteca. El soneto de Lupercio con la respuesta al de Soria que le precede se halla en la p. 135; la *Epistola* de Bartolomé, en la p. 437.

21.   Recogemos aquí algunas notas sobre el destinatario de la *Epistola* Lucas de Soria. Según documentos hallados por Rodríguez Marín («Cervantes y la Universidad de Osuna», en *Homenaje a Menéndez y Pelayo,* Madrid, 1899, t. II, pp. 802-803), era hijo de Pedro Fernández de Soria y doña Isabel Galvarro, y se «matriculó para primer curso de Cánones en la Universidad de Sevilla a 19 de febrero de 1588 y en la misma se graduó de bachiller en Artes y Filosofía a 2 de julio de 1590. A 10 de setiembre de 1592 se bachilleró en Teología en la de Osuna, licenciándose en 14 de julio de 1594 y doctorándose tres días después».

Don Joaquín de Hazañas y la Rúa en su *Vázquez de Leca* (Sevilla, 1918) extracta documentos del Archivo catedralicio de Sevilla, según los cuales el 21 de octubre de 1609 tomó posesión de la coadjutoría del canónigo. Don Jerónimo de Leiva, en la sesión de 13 de febrero de 1610, se encargó de criar y educar una niña y un niño moriscos, menores de siete años, que no podían pasar a Berbería con sus padres por prohibirlo S. M.; el 4 de diciembre de 1620 se trata en cabildo, a propuesta suya, de crear la canongía para enseñar la Sagrada Escritura (lectoral); el 30 de octubre de 1623 toma posesión de la canongía número 14, vacante por fallecimiento del señor Leiva; en 1628 dotó el sermón de Pasión del Viernes Santo en la Catedral; murió el 18 de marzo de 1641.

Tuvo gran fama de predicador y escribió: *De la Passion de Nuestro Señor Iesu Christo* (Sevilla, 1614; Sevilla, 1635ª); *De la reformacion de los assistentes en los templos* (Sevilla, 1623). En los *Sermones predicados en el... Octavario que*

EPISTOLA DE FERNANDO DE SORIA
A LUCAS DE SORIA
CANONIGO DE LA SANTA IGLESIA DE SEVILLA

Segunda vez a ver de Roma el muro
    bueluo, o Lvcas, dudoso peregrino
    del hado y de la suerte mal seguro
A començar de aqui nueuo camino
    y aquella senda que seguir me ordena
    la inexorable lei de mi destino
Tu la as jusgado necessaria y buena,
    y yo tambien la jusgo necessaria
    mas no que de trabajos este llena.
Quien piensa que natura es tributaria
    de la purpura y ostro les incline
    vna y otra rodilla voluntaria
Y a cstos idolos tanto se avezine
    que se tenga por bien afortunado
    quando entre abrojos de dolor camine.
Mas quien de mejor luz nacio guiado
    y de las cosas la verdad alcança
    no como el vulgo de hombres engañado
Que hara en los palacios? que esperança?
    digo que no dudosa sino cierta
    hara torçer el fiel de su balança?
Yo entre a este laberinto por la puerta
    al fin que saues bien; para que entrase
    se me mostro de par en par abierta.
No quisiera que dentro me faltase
    la cuerda que dexe al entrar assida
    para que en estos giros me guiase.
Fue vn laberinto hasta aqui mi vida
    donde en manos del caso emos corrido
    a suelta rienda calles sin salida
Y a lo postrero de el emos venido

se celebro en el... *Convento del Carmen de Sevilla, a la Canonizacion de...*
S. Andres Corsino (Luis Estupiñan, Sevilla, 1629-1630) hay una de Lucas de
Soria, el último.

en otro mas robusto e intricado
do por oculta fuerza fui traido.
Echado, como diçen, esta el dado
la fortuna jues sera, y la suerte
de mi sucesso prospero o errado.
Esta es la lei del mundo que convierte
los ojos al sucesso y es jusgada
la prudencia por el, ierre o acierte.
Si nos dixere bien sera alabada
mi prudencia y consejo, aunque en el hecho
no tengan parte ni aian puesto nada.
Mas si saliere mal de que prouecho
es mostrar que é guiado cuerdamente
las cosas que salieren no al derecho?
Pero lo que tu primo aora mas siente
es verse começar esta carrera
quando no pocas canas ve en su frente.
y que quando buscar puesto quisiera
para la Nauichuela combatida
lexos se ue engolfar de la ribera.
La mas parte a cogido de la vida
la aspa de Cloto, aunq esta se alegrara
hasta vejez a pocos concedida
Si en san Miguel alguno me contara
los años del bautismo, de quarenta
desde Febrero aca se que pasara.
Auer viuido tienen por afrenta
a los que oy sirue el orbe, o que les miente
quiça la tinta, y ierran en la quenta
A mi aunque no fuera aio no consiente
mi condicion mentir, ni hazer engaños,
ni del que soy pintarme diferente,
mas quando a contemplar bueluo los años
que de mi vida digo que pasaron
(Leccion al cuerdo de altos desengaños.)
pareçeme vnas vezes que tardaron
vn siglo viendo el orden de las cosas
y las diuersas formas que trocaron
Otra vez me pareçen presurosas
oras de vn breue y fugitiuo dia

de la mañana ya marchitas rosas
y que apenas el sol salido auia
quando a ponerse va, quando vezino
esta ya al çerco de la sombra fria.
apresurar entonces mi camino
quisiera, mientras esta luz aun dura
por no perder faltandome ella el tino.
dichoso el caminante que apresura
los passos de manera a su Jornada
que no le cierre alli la noche obscura.
esta mi vida para que es guardada
primo, a qual fin la tiene o paradero
la lei del hado mio destinada?
este mi ingenio candido y sincero
que tal lo as siempre tu, y otros jusgado,
y culpado tal vez de verdadero,
quando supo mentir? quando a callado
el mas interno affecto que del seno
no lo vuiesse a la frente trasladado?
para la vida de palacio es bueno
donde es el primer dogma el artificio
y el semblante de astucia y fraude lleno.
no puede a tales cosas mi juiçio
aplicarse jamas, ni aunque gustara
diestro salir pudiera en este officio,
impossible es no versemе en la cara
hasta el menor affecto y la sentencia
de la alma escrita alli muy a la clara.
Diras que es vn linaje de imprudencia
que mereçe otro nombre, yo confiesso
que es assi, y que as jusgado con clemencia
mas aunque lo conosco no por esso
puedo formar mi condicion, ni a sido
en mi poder mudar de ella o de seso
No se viuir no se viuir, vencido
ya me confieso a las dificultades
del siglo mentiroso en que e nacido.
O edad si alguna fuiste de amistades
rica y de trato candido y sincero
que la verdad compraua con verdades,

porque en ti no naci? o porque el primero
   dia en que abri para viuir mis ojos
   de mi vida no fue el dia postrero
este valle es de espinas y de abrojos
   mas agora que nunca, yo e sembrado
   a costa de sudor penas y enojos.
Mas adonde me lleua arrebatado
   el vmor que aora reina, y la tristeza
   que escreuirte con orden me a estoruado?
buelo adonde sali si la estrecheza
   en que dexo mi padre mi fortuna
   reducida a la vltima pobreza;
pudiese prometerte auer alguna
   pequeña renta, tal que ni sobrasse
   ni a puerta de otros me lleuasse aiuna
a mis votos el cielo conformasse
   algun dia el susseso y concediera
   que a mi arbitrio el viuir mio guiase.
Si a los postreros tercios permitiera
   de vna vida quiça desengañada
   que el sitio y la viuienda se escogiera;
no pienses que de mi fuera buscada
   Seuilla, o Roma a mis postreros años
   ni que en Madrid hiziera mi morada.
borraron de alli el gusto dessengaños
   de la madura edad que no consiente
   tanto reino al error de los engaños
agora voluntad ya differente
   de las cortes me aparto, y de la tierra
   sigo nueuo consejo justamente
Direlo con tu paz que me destierra
   de ella con justo ver quantos tiranos
   en sus entrañas prodigas encierra
Que hazen los geriones, dos hermanos
   que en cosas del gouierno tienen mando
   y los que sacan de el llenas las manos?
y los que su ciudad vendieron quando
   fueron a defenderla, y los que an ido
   caudal por esta vsada via juntando?
La escoria de la tierra que cabido

no auia en otras partes aqui tiene
comprado el puesto y onrra a que a subido
O quanto ay que decir! mas no conviene
que en satira esta carta se convierta
de satira el estilo solo tiene.
Si a mi desseo se mostrasse auierta
la puerta que aora digo, y me hallara
con alguna rentilla o pinsion cierta
vna pequeña aldea yo buscara
vezina a la ciudad, o algun conuento
do la vejez que viene me hallara,
y en soledad y dulçe apartamiento
en vn ocio estudioso repartiera
las horas y los dias bien contento
y en oiendo la Misa me saliera
a hazer exerçiçio la mañana,
despues con lentos pasos me boluiera;
y antes que suene a Nona la campana
me hallara en el claustro recogido
y a la mesa boluiera con mas gana.
Si a la mañana no vuiesse salido
por destemplança de aire, o porque al sueño
diesse lo que escriuiendo auia perdido.
hecho de mis acciones libre dueño
a la tarde al vezino campo iria
contento de exercicio mas pequeño
y las oras tal vez diuertiria
con aquella (de libros ya cansado)
onesta y religiosa compañía.
Tan adelante en esto a caminado
qual suele nuestro vago pensamiento
que el sitio aya y lugar determinado.
Sera pues, si te plaze, aquel conuento
que tres millas la gran ciudad vezina
tiene, y sobre vn collado hermoso assiento
Do ve el mudo silencio la ruina
de Italica desecha que conserua
rastros de la alta magestad latina,
y el grande Amfiteatro a quien reserua
forma el tiempo y assientos leuantados

mas cubiertos de malua y de vil ierua
Acuerdome de estar alli assentados
muchas vezes Medrano y yo viniendo
de su hazienda cerca aunque cansados
y alguna solitaria cabra viendo
paçer aquel teatro que algun dia
tanta gente vio en si y festiuo estruendo
de aquella muda soledad salia
concento y voz que nos hablaua clara
y que a filosofar nos persuadia
este sitio por ti agora buscara
y en memoria del caro y dulçe amigo
el campo dulçemente triste amara.
Vinierasme tu a ver, y alli contigo
de mi, o quan larga istoria refiriera,
y lo mismo hizieras tu conmigo.
repasaranse dende la primera
Niñez nuestra las cosas que an passado
sin reseruarlas de la edad postrera
Despues tal vez a estudio agreste dado
a la vejez la agricultura grata
remitiera la cuerda a mi cuidado.
Quien no con esto el corazon dilata
y de graue congoxa o de tristeza
si le assalta tal vez no le rescata.
Bastame a mi saber que la estrecheza
de la vida mortal esperar no osa
que se viua a plazer y con largueza.
Aquella sera pues vida dichosa
que de grandes dolores careciere
y de tristeza o soledad penosa
Que dentro de si misma recogiera
toda su pretension y a los engaños
de la esperanza nunca puerta abriera.
Que rica de consejo y dessengaños
el jubenil error y desconsierto
de aquellos ya presipitados años
mira como segura desde el puerto.

SILVA DE LA NAO VITORIA
QUE ESTA EN LA TARAÇANA DE SEVILLA,
EN LA CUAL FERN^{DO} MAGALLANES
DESCUBRIO EL ESTRECHO

SILVA DE LA NAO VITORIA
DE DON FERN^{DO} DE SORIA
CHANTRE DE CORD^A 1628

Yo soi, o peregrino,
de las selvas Ibericas cortado,
aquel osado pino,
qu'en las bocas del aureo Betis puesto;
i al Oceano Atlantico arrojado;
pude con fatal prora,
i con alas de viento infatigables,
correr los reinos de la blanca Aurora;
i los del polo, a Artofilaz opuesto
i los mares que nunca oyò primero
antigua, o nueva edad; cual navegables
rios, comunicables
a mis entenas hize, i a aquel buelo,
tan audaz i ligero,
que despleguè con astros fortunados:
emula al curso del señor de Delo.
I como el por los monstruos celestiales,
en signos transformados,
doze casas penetra, i gira el cielo
con oblicua carrera;
assi yo, la primera
nave de los mortales,
fui, que girè, cuenta es en si la tierra:
i Anfitrite en tendidos braços cierra.
Que monstruos no venci? que temporales?
que injurias de Austro, i de Aquilon furioso?
i de Orion nubloso,
que amenazas, i iras no e provado?
que sirtes naufragosas no e arado
con deslizante quilla?

plebeya maravilla,
a mi comparacion son los ladridos
de Caribdis, i Scila, antes temidos
i los escollios i estuoso Faro
con rapidas corrientes;
i la nave que Tifis conduzia
con timon industrioso entre las peñas
cïanëas; que la agua rebolvia,
i, a tiempos, las mudava i confundia.
i cuanto oyò la Antiguedad por raro,
i dio en ocultas señas;
i admiraron las gentes
en los passados siglos i presentes.
Cuantas vezes me vide alçar a buelo
en ombros del Oceano rabioso,
para tirarme a sus abismos luego:
ya rayava las nuves en el cielo,
con fulminada temerosa entena,
ya rayava las sirtes, i la arena
del profundo del mar voraginoso:
hecha del viento i de las olas Juego.
cual debil paxaruelo
en uñas del halcon arrebatado
que ya a los valles, ya al monte es llevado:
por ludibrio o rapina.
i aquella inerme vida
al subir o caida
teme igualmente siempre su ruina.
Despues, tal vez, ceñir la gavia vimos,
i la mayor entena,
de los sacros fuscilos i esplendores;
i de la luz serena,
que llaman por deidad los navegantes:
parte, i depuesta ya, de los temores,
con mejor soplo i Zefiro corrimos
que esperavamos antes.
i aquel soberbio monstruo mas placable
se mostro a nuestros votos;
i començo a dar ocio a los pilotos
con tregua mal durable:

i refreno las turbulentas olas
i como en quieto estanque recogiolas.
I bolvio a dar lugar a la osadia,
i a aquel ardor primero i confiança;
restituyendo el cielo i claro dia,
que usurpo luenga noche tenebrosa:
i otra vez todo el lienço desatamos,
y por la espuma de la mar bolamos.
Pero desta bonança,
i del golfo la faz, siempre engañosa;
no fue menos entonces alevosa;
cuando con falsa paz, i con risueño
semblante halagueño,
se nos dio, tanto tiempo, que parece
que combidava al ocio: i como en sueño
despues el aire i olas entorpece.
Eolo a la gran cueva pone llave:
i cual ancora fuerte,
tiene el golfo la nave:
omiçida en la paz, como el veneno,
que en las oras vezinas a la muerte,
està de mal letargo, o risa lleno.
Al fin de aquellas carceles salimos,
i de aquellas prisiones,
donde como en tenaz barra estuvimos:
apartadas provincias i regiones
luego i inmensos oceanos corrimos.
huyen presto los puertos i los montes,
(si se descubre alguno)
i en los salados campos de Neptuno,
i en aquellos tendidos orizontes,
solo un cinto se vee de mar i cielo:
Favonio mas el soplo esfuerça i buelo.
Ya aviamos passado,
en gran distancia, aquellas Fortunadas
islas, del siglo antiguo anssi llamadas:
o porque con fortuna se arribasse
a aquella, que estimò, meta postrera
del ultimo Ocidente:
o porque alli la Copia derramasse

franca o prodigamente
todo su feliz Cuerno;
en campos, que en perpetua primavera,
Jamas vieron ivierno.
I de eterno verdor, siempre vestidas,
las Gorgodas floridas
tambien atras dexamos.
i ya aquel grande Circulo passamos,
que al Zodiaco en partes dos divide;
do el sol las noches con los dias mide
igualmente en el mundo a los mortales.
I torciendo a la costa; de arenales
cien esteriles puntas aparecen
i promontorios ciento i desparecen.
Despues en apartados orizontes
sus prodigios el nuevo mundo ostenta;
con que a la admiracion antigua afrenta:
i volcanes ofrece, i arden montes
cubiertos de cerulea nieve, o ielo
tendido un manto de color de cielo.
i los vientos que alli baten las plumas,
i se arrojan del monte al mar salado,
ondas encrespan entre las espumas,
de ielo congelado:
cual en montes Rifeos, o altas rocas
de nieve coronadas.
Del gran Parana alli se veen las bocas
amenazando al mar; del rio Parana
capaz de montes de olas, i de senos,
i golfos estendidos:
quitar Eolo alli suele los frenos
a los vientos temidos.
Diras que juntan Tajo i Ebro i Duero
Betis i el sumergido Guadiana
el Danubio i Boristenes elado
Eufrates i el Araspe sus corrientes;
el Tigris de aguas rapidas ligero
i el Tiber de altos triunfos coronado
Ganges i el Nilo con ocultas fuentes;
cuando los anchos campos del salado

Hereo el raudal rompe impetüoso,
i amenaza los mares espantoso.
I ya de Capricornio atras quedava
el Tropico; do el sol los paralelos
que formò, buelve a desandar contino.
i ya mas, i mas, cerca se mostrava
el Antartico Circulo vezino;
i aquel punto del cielo, do la Esfera,
como en un exe, se rodea ligera,
en mas altura ya se levantava.
Que maravillas muestran nuevos cielos!
i emisferios antipodas! ya crece
la noche, que cien noches en si incluye,
de las de recta esfera; i de la nuestra,
aun cuando nuestro dia mas descrece.
vezino el otro polo; i clima estraño,
do un dia, i una noche, incluye un año.
ya el verano i rebuelto otoño huye,
i el ivierno, en estraños meses, muestra
la Lumbrera mayor; cuando del Toro
hiere los cuernos de oro.
Nuevos gestos entonces i regiones
vêmos; i los disformes Patagones:
gigantes, que pudieran
empinar montes sobre montes altos,
si, como los de Flegra, pretendieran
al cielo dar assaltos.
Otra apartada tierra despues muestra
los Pigmeos; por fabula tenidos;
ombres que facilmente son medidos
del codo hasta la diestra:
cada orexa es igual a esta medida:
veloces son al curso i la huida.
Mas ya la centinela,
que en oras matutinas,
siempre al cuidado de la gavia vela;
descubre aquel buscado,
por tan inmenso circulo, i rodeo,
de mares, i de climas, hondo estrecho;
que junta un mar con otro tan distante:

i viendo aquellas bocas ya vezinas.
i cumplidos los votos al desseo,
i a la alta confiança; aquel constante
Argonauta esforçado,
de incontrastable coraçon i pecho;
que al Estrecho, en memoria, dio su nombre;
manda seguir con recatada vela,
por passo, nunca de antes penetrado,
ni conocido a nave, o mortal ombre,
la luenguissima calle. Despues buela,
i sale a mas anchura:
do se dilata el pielago en gran seno;
i se vee en su espesura,
de islas, cual espesa selva, lleno.
que forman casi un Labirinto ameno.
De islas, do el Oriente
muestra, en soberbia pompa, su tesoro,
i sus requezas todas; no ya tanto
por la plata i el oro,
i el carbunco luziente,
i margaritas de que abunda tanto:
como porque tambien son de olorosas
aromas, i de especias, abundosas.
Despues de aver de America corrido,
(que un Nuevo Mundo dentro de si encierra)
la dilatada tierra
que lava el Mar Pacifico dormido;
grata acogida las Malucas dieron
a velas peregrinas.
como a buelo, despues passar nos vieron
tierras, i islas, remotas o vezinas:
Brunei Zubut Gilolo i Taprobana;
islas del Archipielago espumoso;
Goa la Regia, Cananor la llana,
i Pegù montuosa i enriscada,
Bengala i Calicut; i el proceloso
golfo de Ormus; i la espaciosa costa
de la India Mayor; i la que tiende
a la Asia, en cien provincias dilatada.
i correr costa a costa,

en cuantos senos Africa se estiende;
hasta reconocer el portentoso
Cabo, a quien le dio nombre la Esperança,
por la dificultad con que se alcança.
i lo que resta de Africa; i la arena
de sierpas, i de nuevos monstruos llena.
I ya otra vez se ofrece
Caboverde, i Canaria Fortunada,
cual escollo pequeño en mar abierto.
i, por los mesmos rumbos, aparece
descendiendo, la playa desseada
de España, o al desseo le parece.
i la finge a la vista, en grato engaño;
i la figura anticipadamente.
i que ya sale el anhelado puerto,
(el segundo cumplido i tercer año)
a acoger en su seno gratamente
las emeritas velas. I mas cierto
ya de las costas, i de la ribera,
clama el piloto de la NAO VITORIA
vitoria, España, España,
i la nautica gente
reduplica el clamor, sube a la entena
da lagrimas al gozo, a la alegria:
i al cielo, i a la tierra i patria arena,
sacros votos envia.
Esta fue la carrera
de la navegacion, de la hazaña,
mas digna de memoria;
o uesped peregrino;
i de mas casos i portentos llena.
deste, que aora vees deshecho pino,
(que acogio el fertil Betis en su seno,
i la ampla Alma ciudad dentro en su muro)
que celebro Griega ficcion, o istoria.
Venerad pues el arbol fortunado
de Vitoria, i seguro,
que de triunfo, i noticias bien colmado;
aporto a su nativo suelo ameno:
i a su rio paterno,

la combatida quilla;
tras el tercer ivierno,
que salio de su orilla.
i ambos Polos, i Orientes a corrido:
el Orbe, como en circulo, ceñido.

SOBRE POETAS HISPANOAMERICANOS DE LA ÉPOCA VIRREINAL

(Con un ejemplo: Martín de León)

En las páginas que siguen se aspira a exponer algunos conceptos sobre escritores de lengua española que nacen, o desenvuelven su actividad creadora, en tierras americanas durante los tiempos virreinales, en el período que corre entre la muerte de Garcilaso de la Vega y los mediados de la centuria decimoséptima. En la época —pudiéramos decir— en la cual se cuaja la estructuración española, entre el apretado contar de los cronistas de Indias y el brioso y definitivamente logrado teatro de Ruiz de Alarcón. Voy a expresar algunas consideraciones generales, algunas *generalidades* acerca de los poetas que escribieron en Iberoamérica durante ese tiempo. Prescindo, pues, de lo más conocido: de toda la literatura moderna y contemporánea.

Tenemos una enorme cantidad de estudios sobre cuantos han manejado la pluma a partir de la Independencia; hay infinitas monografías y libros, algunos fragmentando épocas hasta extremos inverosímiles, apurando detalles con precisiones milimétricas y especificando generaciones de nuestros días, muchas veces con más buena voluntad que logro.

Hay temas que han promovido más bibliografía, infinitamente más, que la volcada sobre Lope de Vega o Schiller. Quien tenga la paciencia de numerar las monografías eruditas y críticas acerca del modernismo, la novela, mexicana de la Revolución, la poesía gauchesca o la obra de Martí, quedará gratamente impresionado al ver el amplísimo panorama de estudios y contribuciones de todo género a la mayor claridad de tales cuestiones. A veces se desciende a detalles peregrinos que nada tienen que ver con lo literario: recuerdo haber leído, con más curiosidad que provecho, una catalogación de toses, esputos, dolores de cabeza y fiebres que se mencionan de pasada en *Los de abajo,* para acreditar los conocimientos médicos de Mariano Azuela.

Frente a este verdadero aluvión de papel impreso, se nota una gran falta de estudios relativos a las letras en Iberoamérica anteriores a 1800. No quiere esto decir que no existan, sino que la desproporción es tan acusada que está, aparentemente, señalando una falta de interés por parte de la crítica o una inexistencia de escritores durante los siglos XVI, XVII y XVIII que justifiquen tamaña escasez.

Ciñéndome a los poetas que en tal época escribieron en Iberoamérica, deseo hacer hoy algunas observaciones que acaso puedan servir de estímulo para ahondar en el conocimiento de esas olvidadas zonas cronológicas, de esos preteridos escritores.

Pero antes, dos palabras sobre la terminología, para que podamos entendernos desde el principio. Va siendo moneda cada vez más corriente, por estas latitudes, el referirse a las literaturas de México para abajo con el enunciado común de *latinoamericanas.* Yo tengo un criterio absolutamente cerrado sobre esto y no admito, en modo alguno, semejante término. La política tiende a olvidar, con demasiada frecuencia, que América no es una nación única, sino un continente en el que se integran las naciones americanas del norte, del centro y del sur.

Lo latino engloba, forzosamente, todo lo derivado de Roma, del idioma latino, del Latio, es decir, lo español, portugués, francés, italiano, rumano, provenzal, etc. Si decimos literatura *latinoamericana,* estamos refiriéndonos sin duda alguna, confusamente, a un conjunto de producciones redactadas en estos idiomas. Pero da la peregrina casualidad de que en una parte considerable de América del norte, en toda la América central y en toda la América del sur no se habla literariamente más que español o portugués; no hay más literaturas que las de lengua española o portuguesa, lenguas ibéricas, de la Península Ibérica.

Ni en Bogotá florece la lírica provenzal, ni en Paraguay la novela italiana, ni en Brasil el teatro francés, ni mucho menos en la patria de Rubén Darío el delicado ensayo rumano. Cuando un habitante de estos países de lengua española o portuguesa escribe en un idioma extraño —¡y qué contadas veces ocurre esto!— pasa a formar parte del acervo cultural de naciones extranjeras. Isidore Ducasse, el conde de Lautréamont, Heredia o Supervielle son escritores franceses, que tienen su puesto en el Parnaso galo, de igual modo que Jorge Santayana, en tanto que escritor, es angloamericano y no español, quiérase o no: su vida y su obra se desarrollaron en una patria que no es la de Lope y en un idioma que no es el de Cervantes.

Yo aceptaría la arbitraria denominación que rechazo si en nuestros llamados cursos de literatura *latinoamericana* se incluyese toda la producción intelectual de la parte del Canadá que se expresa en francés. Mientras esto no ocurra, no me parece aceptable utilizar palabras equívocas cuando se trata de ciencias y letras. Para mí, literatura *latinoamericana* no puede tener más que dos significados: o la escritura en latín por los nacidos y criados en América, o el conjunto de todas las literaturas que han producido en ese continente cuantos grupos se expresan en lenguas derivadas de la latina.

Ni siquiera los franceses, tan acusados de chauvinismo, se han atrevido a tanto. Ni los alemanes o los holandeses. Repasando mi correspondencia de las últimas semanas, he advertido el justo título que dan a las cátedras de nuestra disciplina, o a los Institutos a ellas anejos, nuestros colegas universitarios extranjeros. Así, en Burdeos funciona admirablemente el Instituto de Estudios Ibéricos e Iberoamericanos; en Toulouse (cuna del hispanismo francés), el Instituto de Estudios Hispánicos, Hispanoamericanos y Lusobrasileños; en Rennes, el Centro de Estudios Hispánicos, Hispanoamericanos y Lusobrasileños; en Hamburgo, el Instituto Iberoamericano; en Leyden, el Instituto de Lenguas Iberorrománicas, etcétera.

En nuestros trabajos, esencialmente históricos y críticos, ha de brillar ante todo la claridad y una de las maneras de con-

seguir que ésta resplandezca con todo su esplendor es la de usar
un vocabulario que no se preste a dudas de ninguna clase.
Cuando hablo, pues, de poetas iberoamericanos quiero decir y
digo que voy a tratar de poetas que en América se expresan en
portugués o español, las dos únicas lenguas literarias que se
cultivan en veinte naciones del mismo continente.

Aclarado este extremo, vuelvan las aguas al cantarillo. Para
estudiar las letras modernas y contemporáneas en Iberoamérica,
basta con acudir a cualquiera de nuestras bien provistas bibliotecas y allí se encuentra material más que abundante. Pero
contrasta con esta abundancia, como ya dijimos, la parvedad casi
franciscana de lo que hallaremos relativo a tiempos más remo-
tos: a los siglos XVI y XVII. ¡Qué pocas indicaciones nos va a
ofrecer una búsqueda escrupulosa!

He tenido la paciencia de examinar los fondos pertinentes a
nuestro propósito en la gran biblioteca de mi Universidad de
California en Berkeley, y los estudios sobre el pasado literario
remoto apenas alcanzan un cinco por ciento del total de contribución bibliográfica y, en su mayoría, se ciñen a comentar la
labor de los cronistas. Para conocer, pues, en sus líneas generales, las letras, la poesía, del siglo de oro, habremos de acudir
a los manuales, más o menos extensos, de historia literaria y
a las antologías. Ahí, aparentemente, vamos a pisar terreno
más firme. Pero esto merece también capítulo aparte y algunas
reflexiones previas.

Si, como decía santo Tomás, la perfecta belleza puede de-
finirse como el esplendor del orden, yo no conozco nada más
estallante de rotunda hermosura que los manuales de historia
literaria de un país cualquiera. Todo está en ellos clara y me-
tódicamente ordenado: la alineación cronológica de los autores,
la clasificación por géneros y, dentro de ellos, por escuelas,
tendencias y afinidades; las biografías de los escritores y la
aportación que cada uno de ellos hace al acervo cultural de su
patria, amén de las oportunas precisiones bibliográficas y crí-

ticas hacen que cuando examino por vez primera uno de estos primorosos manuales, me sienta con la alegre satisfacción espiritual de quien contempla el equilibrio hermoso de un edificio alzado por un arquitecto dueño del arte de la proporción y de la ciencia del volumen.

Si al lado de una de estas historias literarias se coloca el tomo que contiene la *Antología* a ella correspondiente, ya no hay más que pedir. Todo está claro y perfecto; leídos ambos libros, adquiriremos un conocimiento ordenado y pleno de los valores literarios que, durante siglos, se han acumulado en una extensa zona geográfica. Al doblar la última hoja de la obra, podremos confiar en haber incorporado a nuestro saber una buena provincia de la cultura escrita.

Porque, naturalmente, la *Antología* es la colección de textos significativos sobre los cuales construye luego su narración y su crítica la *Historia literaria*; ésta explica a aquélla del mismo modo que aquélla justifica a ésta. Una y otra tienen entre sí dependiente y armónico complemento.

Pero acaso sea esto llevar la cosa demasiado lejos y extremar las posibilidades de perfección. Las antologías son siempre selecciones y nunca fuentes de conocimiento completo. Tienen —o deben tener— la flor y nata de la producción literaria, pero en modo alguno podemos considerarlas como bibliotecas. Son puntos de arranque y no metas. Aromas, perfume de unas creaciones estéticas y nada más. En cierto modo, biberones literarios para estómagos aún débiles. Estímulos para un conocimiento, no conocimiento pleno.

Lo malo, lo verdaderamente infortunado es que hay infinito número de personas que creen conocer la literatura por haber repasado uno de estos pedagógicos compendios y por haber leído, páginas tras página, las de un florilegio o crestomatía. Es mucho más frecuente de lo que a primera vista pudiera parecer tal equivocación.

La historia de la literatura y la antología son unos instrumentos de conocimiento limitadísimos; una introducción ligera, pero nada más. El que de veras desee ahondar en el estudio ha de realizar una labor personal, ingrata y dura, de años y esfuerzo; y, sobre todo, ha de contar con un caudal de lecturas, directas y variadas, enorme.

Ocurre a veces que un discípulo espabilado, inteligente, desea redactar un trabajo sobre una obra o un escritor. Muchas, hemos de vernos precisados a enseñarle cómo no puede estudiar la rosa sin tener conocimiento del rosal. La flor —atractiva ahora en su brillante colorido— forma parte de un complejo vegetal y mineral, surge de una semilla que arraigó en una tierra determinada, que ha crecido gracias a unas circunstancias de aire, suelo y subsuelo. Sí; parodiando a Ortega, podemos decir que la rosa es la rosa y su circunstancia. La obra literaria también precisa, para que tengamos de ella un conocimiento completo, ser situada en su circunstancia, inserta en la totalidad vital del hombre que la creó, de la generación estética que la circunda, de los antecedentes que la precedieron.

Si esto ocurre con una obra, fácil es convenir en que el estudio de la historia de una literatura hay que hacerlo desde las raíces, desde sus comienzos, y asentar éstos sobre una firme base textual.

Dicho sea en su honor, hay muy buenas antologías de la literatura iberoamericana, pero todas tienen un fallo fundamental: la parte antigua. Precisamente, las raíces. Lo moderno suele ser muy bueno y muy completo; lo antiguo, flojo en extremo. Frente al excesivo desarrollo que se consagra a lo contemporáneo, hay un evidente olvido de lo anterior y eso no es justo. La literatura, la poesía (que es a lo que me refiero hoy), no es producto de unos desarraigados intelectualmente y, si queremos conocerla en un sentido histórico, no podemos de ninguna manera prescindir del estudio a fondo de sus precedentes intelectuales.

Tan de España es el hombre de las cavernas de Altamira como el del tiempo de los Reyes Católicos o el de 1967; su historia deberá basarse en el estudio cronológico de sus formas de vida. No podemos, caprichosamente, cercenar siglos en algo que quiere ser exposición ordenada de principio a fin. Y si hay períodos más confusos o menos conocidos, nuestra obligación es llevar la búsqueda hasta extremos límites.

He hecho un examen de las principales antologías que se utilizan para la enseñanza en nuestras Universidades, con objeto de ver qué es lo que anda en circulación de literatura primitiva iberoamericana, y he obtenido curiosas conclusiones. En la más aceptada e importante, obra, por cierto, de queridísimos y admirados amigos míos, hay, para el período que discurre entre 1500 y 1650, selecciones de la obra de veinte autores, que se descomponen así: catorce historiadores, cronistas de Indias; cinco poetas épicos; un poeta lírico, representado por *un soneto*.

Surge, inevitablemente, la pregunta: ¿es posible que, en ciento cincuenta años, no haya habido más que un poeta lírico, Francisco de Terrazas, en casi un continente entero? Porque si Bernardo de Balbuena figura también como lírico, hay que reconocer que su esencial valía es otra.

Quiero consignar aquí mi pequeña protesta. Pequeña, por mía, pero protesta por el olvido de todo cuanto no es épica y, dentro de ésta, de casi todo lo que no es épica de tema americano.

Cuando yo hablo sobre todo esto con algunos amigos, arguyen que un historiador o un antólogo no son investigadores, sino expositores y críticos, y que operan con los materiales en circulación. Verdad, pero sólo en parte. El investigador de la literatura iberoamericana tiende más a ahondar en lo conocido que en lo desconocido y olvida, con demasiada frecuencia, buscar nuevas minas y veneros literarios. Digámoslo con claridad: las pocas noticias que de poetas de la época virreinal están en circulación proceden casi todas de una fuente, benemérita pero anticuada, como es la *Historia* de Menéndez Pelayo, redactada hace tres cuartos de siglo con escasísimos materiales. Muy pocos nombres son los que se han añadido a la nómina del viejo y venerable don Marcelino, como el de Pedro de Trejo, descubierto por azar, al revolver hace años unos procesos inquisitoriales.

En lo relativo al Siglo de Oro, el propio autor de los *Heterodoxos* muchas veces tomó sus noticias de segunda mano:

sirva de ejemplo el caso del estupendo Eugenio de Salazar, uno de los mejores escritores de lengua española. Toda su obra, voluminosísimo infolio de más de mil páginas, está conservada en la biblioteca madrileña de la Academia de la Historia: Gallardo, hacia 1830, extractó algunas de las composiciones que le interesaban; Menéndez y Pelayo recopió, extractándolo, a Gallardo; en general, las noticias que sobre el citado poeta circulan apenas son otra cosa que extractos de estos extractos y un poquito de caldo de cabeza crítico para rellenar las veinte líneas necesarias.

Sin leer las divertidísimas páginas de Salazar, escritas en Santo Domingo, narrando su viaje desde España, no hay manera de que conozcamos el ambiente de la travesía y la llegada, lo pintoresco y abigarrado de la vida en Indias hacia 1560; sin gozar su extensa descripción en verso de la laguna de México, careceremos de un documento de primera fuerza para darnos cuenta de los ojos con los cuales entonces era visto el Nuevo Continente. Eugenio de Salazar vive muchos años en América y en ella escribe lo más selecto de su obra; el paisaje, las costumbres, la flora, la cultura de estas comarcas influyen mucho en él. ¿Por qué no podemos leerle en las normales antologías?

El poeta del siglo xvi o del xvii, de lengua española, que vive plenamente en América, tiene una doble raíz que se manifiesta casi siempre en la dualidad de su producción: se siente profundamente español y profundamente americano. Sabe extraer de ambas tierras la savia necesaria para sus creaciones; sabe ser representante, al mismo tiempo, de una cultura occidental, europea, y de una cultura americana que está coadyuvando a formar.

Casi nunca, aun en los escritores más representativos de la literatura iberoamericana, dejan de aflorar, inevitablemente, ambos intereses. Bernardo de Balbuena traza las afiligranadas páginas de la *Grandeza mexicana,* pero de contrapeso está el más importante poema novelesco que se ha escrito de tema castellano: el *Bernardo o la victoria de Roncesvalles*; juntos, la fabulosa Edad Media y lo contemporáneo al poeta.

Pedro de Oña es verdad que escribe el *Arauco domado,* pero también torna la vista cronológicamente atrás para cantar en *El Vasauro* las guerras emprendidas por los Reyes Católicos hasta la conquista de Granada, hasta que un supremo esfuerzo libera a España de los últimos restos de dominación agarena. Salazar cincela la espléndida descripción de la laguna de México al mismo tiempo que redacta la *Navegación del alma,* poema alegórico-moral dentro de la más pura tradición europea.

Don Diego de Carvajal y Robles, cronista en verso de las fiestas peruanas al nacimiento del príncipe Baltasar Carlos, trazador de excelentes silvas, en las cuales hay elementos descriptivos magníficos, como los que reseñan el terremoto de 1630, o los consagrados a ríos y montes del Perú, clava la garra de sus nostalgias escribiendo el poema épico de la *Conquista de Antequera,* su pueblo natal, que imprime en Lima el año de gracia de 1627.

Pero ¿qué más, si escritor tan hondamente americano como el Inca Garcilaso de la Vega, al lado de los *Comentarios reales* o de *La Florida,* consagra años de trabajo a pulir su excelente versión de los *Diálogos de amor* de León Hebreo, una de las más fecundas y primorosas obras del pensamiento medieval judeoespañol?

Esta dualidad entrañable del escritor iberoamericano de los Siglos de Oro, este tener conciencia del mundo en que vive y del mundo del cual viene, este no renunciar a ninguno y crear en ambos, que es a mi ver una de sus características y acaso la más importante, no ha sido puesta de relieve con el énfasis necesario. Salvo rarísimas excepciones, no se ha sentido desarraigado de una o de otra cultura y si ha tendido a presentar un panorama intelectual teñido levemente de elementos favorables al Nuevo Mundo, no lo ha enfrentado jamás al Viejo para sacar una conclusión desfavorable a éste. Tirones espirituales de una parte y de otra han servido no para desgarrar sino para dar más fortaleza a cada una de ellas. Salvando muchas distancias estéticas y cronológicas, surge el recuerdo del soneto de Santos Chocano.

Dirá alguno que hasta ahora no he hecho sino argumentar con nombres conocidos y circulantes: Bernardo de Balbuena, Pedro de Oña, Carvajal y Robles, el Inca Garcilaso..., ¿dónde están esos otros poetas iberoamericanos?

La respuesta es fácil: están donde deben estar. En las bibliotecas, en los archivos, en las colecciones públicas y privadas que aún no han sido exploradas convenientemente. No es legítimo argüir que si ese estudio histórico literario de los poetas no se ha hecho es porque no hay textos, porque nos faltan obras, porque si se escribieron se han perdido. Puedo asegurar que eso es un cómodo trampolín para saltar en el vacío y nada más.

Lo primero que hay que hacer es buscar lo que ha quedado, publicarlo y estudiarlo. Si no se realiza esta tarea, estaremos siempre girando en torno a tres o cuatro nombres de poetas y sentándonos luego con la tranquilidad del deber cumplido.

Yo no digo que vayamos a encontrar nuevos Góngoras o una nueva Juana Inés de la Cruz, pero sí sostengo que hay muy buenos poetas que no merecen en absoluto el olvido sepulcral en que cayeron. Que ningún firmamento está completo en nuestro conocimiento si sólo percibimos de él el Sol, la Luna, Venus y Saturno o Marte. Que para darnos cuenta de la estructura literaria de siglo y medio, de la poesía en este caso, hemos de contar con los grandes, los medianos y los pequeños. Que no hay retrato si suprimimos de una cabeza la nariz y las orejas, aunque estos órganos no tengan la armónica belleza de un par de ojos.

Nóminas de poetas hispanoamericanos las hay —¡y de qué categoría!— para conocer una selección de los que escribieron antes de 1630. Nada menos que Miguel de Cervantes en su *Viaje del Parnaso* y Lope de Vega en *El laurel de Apolo* las establecieron, entre otros varios. Pero téngase en cuenta que esas tiradas de nombres son selección y no católogo. Además de los que ellos citan, hay muchísimos.

Cada libro de fiestas, impreso o manuscrito, cada relación de solemnidad pública, contiene siempre un buen núcleo de nombres de poetas cuyas obras no nos hemos preocupado de localizar y, a veces, composiciones nada desdeñables, aunque la perezosa rutina los catalogue bajo el inexacto e impreciso nombre de «versos de circunstancias», como si la «Canción a las ruinas de Itálica» o el soneto «Voto a Dios que me espanta esta grandeza» no debieran su origen, precisamente, a momentos similares.

Yo comprendo que hasta esta época nuestra de los microfilms y los xerox era casi imposible obtener copias de ejemplares únicos, de manuscritos rarísimos conservados en lejanas tierras. Pero ya la excusa no es válida para la falta de conocimiento. Hoy es obligatorio para todos nosotros, para cuantos estamos cordialmente entrañados en el tema, investigar. Investigar antes de historiar. Investigar antes de hacer crítica. Investigar antes, sobre todo, de desdeñar o de decir «no existe».

Se me ocurre preguntar si hay alguien que haya investigado, con el propósito de localizar obras de poetas hispanoamericanos antiguos, en las bibliotecas que poseen un mayor caudal de manuscritos de la época en castellano. Y la respuesta ha de ser, por lo que se relaciona con las bibliotecas nacionales de Madrid, París, Londres, Berlín o Bruselas, un rotundo NO. Ni siquiera las de los Estados Unidos han sido puestas sistemáticamente a contribución.

Como no es cosa de trazar aquí un catálogo, lo cual sería impertinente, sobre aburridísimo, me limitaré a algunas indicaciones.

En Madrid se halla una enorme antología manuscrita, compilada en México en 1577 y descrita bibliográficamente por Gallardo desde hace más de un siglo. Vuelta a describir en estos últimos tiempos, ni se ha editado su contenido, ni se ha estudiado la adscripción posible de los poemas a autores mexicanos del tiempo.

Yo di a conocer en 1952, hace quince años, un precioso cancionero peruano de tiempos de los virreyes Esquilache y Monterrey, con deliciosos poemas del licenciado Diego Cano, don Pedro de Carvajal, Nicolás Polanco de Santillana, Miguel

Fernández Talavera, Bernardino de Montoya, etc., etc. Es más, ofrecí la copia para que pudiese publicarlos quien deseara; ésta es la hora en que ni por curiosidad se ha acercado nadie a pedirme la tal copia.

¿Quién no recuerda las líneas de un historiador de las letras peruanas en donde afirma que, a pesar de sus largas búsquedas por archivos y bibliotecas, no había conseguido leer un solo verso del poeta Bernardino de Montoya, verdadero enigma? Pues con acercarse a la Biblioteca Nacional de Madrid, al Museo Británico y a la Hispanic Society, la doctora Lozano Vranich acaba de publicar un tomazo de trescientas páginas bien rebutido de miles de versos de Montoya.

De los siete volúmenes de poesías que escribió el lego Gonzalo Ruiz, en La Plata y otros lugares de Hispanoamérica hacia 1630, conservamos, por lo menos, dos: uno con más de seiscientas páginas de letra apretada y hasta trescientas dieciocho composiciones, inéditas todas y harto curiosas, entre ellas algunas piececitas teatrales desconocidas.

Sin salir de esa misma fecha, es decir, poco después de 1630, hallamos en Panamá obras de catorce poetas: Juan de Ginebrosa, Francisco de Figueroa, Diego Fernández de Madrid, Gabriel de Cuéllar y Velazco, Mateo de Rivera, Ginés de Bustamante, Francisco Mauricio de Silva, Jacinto de Alvarado Roldán, Francisco Melgarejo, Juan Bautista de Villalobos, licenciado Platí, Bartolomé de Avia Gutiérrez, Pedro de Burgos y Francisco de la Cueva. Poco, pero de todos se conserva algo, aunque inédito.

Sería el cuento de nunca acabar si hubiera de apuntar aquí las docenas de notas que tengo, tomadas en distintas bibliotecas americanas o europeas. Me interesa tan sólo excitar a que se replantee el estudio de la poesía hispanoamericana del Siglo de Oro sobre nuevas bases. Digo y afirmo que es fácil adquirir los conocimientos necesarios para reunir los materiales precisos. En unos lugares bastará con acudir a los catálogos: en otros hay que hacer una labor directa que se revelará eficaz.

Pero dejemos esto aparte y vamos con nuestros poetas.

Hechas ya las consideraciones generales que me proponía hacer, voy a concluir estas notas con la indicación de algunos datos relativos a un escritor que se me antoja muy característico del mundo humano y literario que pulula por las Indias a fines del siglo XVI y primeros años del XVII.

Será una pequeña muestra, un ligerísimo boceto, aplicado a un solo escritor, de lo que se puede obtener si se amplía el marco de nuestras búsquedas, si en los estantes de nuestras bibliotecas sacudimos el polvo que oculta preciadas reliquias. Ejemplo, asimismo, de lo muchísimo que falta por hacer en el camino de la investigación, inapelablemente previo al de la historia y al de la crítica.

Entre los veinte mil manuscritos que se conservan en la magnífica biblioteca de The Hispanic Society of America, de Nueva York, hay un grueso volumen, de no menos de seiscientas páginas, encuadernado en viejo pergamino, que lleva por título *Historia del huérfano,* por Andrés de León, vecino de Granada. «Describe en ella —sigue diciendo la portada— muchas ciudades de las Indias, de Tierra-Firme y del Perú.»

Se trata de un original preparado para la imprenta en 1621 y dedicado a Juan López de Hernani, tesorero de Su Majestad y juez de su Real Hacienda en la Ciudad de los Reyes. En las páginas preliminares figuran una alabanza en prosa de Juan de Lucio, vecino de la Ciudad de los Reyes, y varias poesías laudatorias de don Sancho de Marañón, de un hermano de la orden de Juan de Dios, del capitán Bernardino de Montoya, administrador general y alguacil mayor de la provincia de Guaylas; de Andrés de Obregón, escribano público de la ciudad de Trujillo (Perú), etc.

La obra está en prosa y es una autobiografía novelada, o una novela autobiográfica, de un varón que nace en Granada, en 1564, y marcha a las Indias cuando apenas cuenta dieciséis años, es decir, en 1580. Los cuatro decenios que van desde entonces hasta 1620, en que se firma la dedicatoria, están llenos con una de las vidas más pintorescas y significativas de los reinados de Felipe II y Felipe III. Adelantémonos a señalar que el verdadero autor no es el que figura en la portada, sino el auténtico protagonista que, aun siendo del mismo apellido, se llamaba Martín de León.

Todo el relato va conducido en tercera persona para dejar libres las manos al redactor en la alabanza del héroe. Porque Martín de León, al narrar su vida, no escatima la satisfacción que siente relatando cómo, entre los azares de su existencia, ha salido siempre con honra de los más apretados lances.

Dieciséis años tenía y buen acomodo en su casa cuando le tentó el deseo de probar fortuna por sí y, a la sombra de unos deudos que iban a recoger una herencia, se embarcó en Sevilla para el Nuevo Reino de Granada y alcanzó las tierras de Cartagena de Poniente. Como él mismo nos dice, «luego vido que aunque daban a las Indias el nombre de ricas, por el mucho oro y plata que de sus minas se saca, no todos tenían plata ni oro, sino los que lo buscan o adquieren con industrias o trabajos; y juntamente con esto vido pobres y necesitados casi como en España».

Pide la mocedad ejercitar sus bríos y pronto salió el muchacho del apaño casero de sus parientes para enrolarse en una leva que hacían, a son de caja y sombra de bandera, para conquistar unas tierras ásperas entre Tolú y Nombre de Dios. Indomables los indios, bisoños los españoles, salieron éstos de la campaña malparados, teniendo que hacer una retirada ingloriosa, a través de más de setenta leguas, descalzos, casi sin ropas, desmayados y heridos.

Yerbas y mariscos crudos, congrios, huevos de tortuga, monos y hasta serpientes fueron aliviando míseramente las hambres de la tropilla en que se había convertido el bizarro ejército. Cuando a fuerza de fuerzas llegaron nuevamente a Tolú, el agotamiento hizo presa en nuestro Martín y maceraron su carne graves enfermedades, amén de las duras heridas que llevaba, que le tuvieron mucho tiempo en amarga convalecencia. De Tolú a Nombre de Dios, de aquí a Panamá, donde, conforme podía la edad, pasó cuatro meses ejercitándose en el uso de las armas y de la danza.

La demorada narración de los pintorescos sucesos de los cuales fue protagonista entre 1580 y 1595, piden un libro entero que vale la pena redactar algún día, porque en la accidentada vida de Martín de León podemos ver un espejo claro de lo que fue el aventurero español, el hombre de ventura que vive por su esfuerzo personal en la encrucijada del 600. Enamorado galán, poeta, gran lector, espadachín, pendenciero y profundamente religioso, cada una de estas facetas se refleja en sus memorias con vivas claridades.

Hombre de poderosas fuerzas físicas, las ensayó infinitas veces en competiciones con los hércules de su tiempo; por cierto que uno de ellos fue el príncipe de Esquilache, virrey del Perú, esforzado y membrudo campeón en luchas. Los toros le atrajeron también, y a los diecisiete años dejó memoria de una famosa hazaña taurina en la ciudad de Trujillo, antes de salir para Lima.

En la esgrima fue un decidido partidario de las teorías y la práctica del famosísimo Jerónimo de Carranza, a quien llama «gloria de España, guía de capitanes, luz de los diestros, honra de los españoles, esplendor de los príncipes y espejo de la razón».

Por lo que respecta a música, entregose de tal modo al estudio y a la práctica de la guitarra y la vihuela que muy pocos pudieron competir con su destreza, siendo ésta buena acompañante en serenatas y empresas amorosas que abundaron en la mocedad de nuestro Martín de León.

Comenzó también a gustar de la poesía —dice de él mismo— así leyendo toda la que hallaba como poniéndola levantada de estilo, en disputa con sus amigos que también gustaban de la inteligencia della, porque hacían ya versos con mucha elegancia e invención, aunque parezca cosa nueva decir que en las Indias hay ingenios tan sutiles que lleguen a tener tan buena parte en las que llaman Musas, que tengan lugar entre los poetas líricos y heroicos más famosos deste siglo [...]

Amores, espadas, toros, poesía, música... y juventud. Juventud impetuosa que le hace ir en busca de Lima para conocer
una de las más bellas ciudades de la América virreinal. ¡Qué
sorpresa para nuestro Martín el hallazgo de esta maravillosa
corte, en donde toda gala tenía su asiento y toda ciencia su lugar
propio! No sólo perfeccionó allí los conocimientos adecuados
a sus aficiones, sino que en un año salió doctísimo maestro en
ellos, y además asistió a diversas clases en la espléndida universidad.

Pero todo vino a truncarlo cierto suceso que él vela cuida-
dosamente y a consecuencia del cual hubo de acogerse a sagrado,
ocultándose en el gran Convento de San Agustín, en donde le
tocó la gracia divina y tomó el hábito de la orden agustiniana.
Ya tenemos al galán hecho fraile. Pero para alcanzar la perfección de su vida nueva, érale preciso ordenarse de sacerdote
y arreglar un viaje a España.

Diole licencia su provincial y, en compañía de un padre
grave de la orden, emprendió la caminata hacia Panamá, con
tan mala fortuna que cuando llegó era muerto el obispo que
había de ordenarle. Partió, pues, para Cartagena donde podía
serlo, pero... también fray Juan Montalvo, obispo, acababa de
fallecer. Aunque se le cortaban las vías de su complemento,
tomó nueva ruta hacia el Nuevo Reino, navegando por el Río
Magdalena más de doscientas leguas.

Interminable y pesadísimo viaje, lo describe nuestro autor
con gracia y soltura extremas. No resisto al deseo de copiar
un párrafo significativo:

> Es el sol ardentísimo, el calor excesivo; lo que se navega,
> poco, por ser río arriba, y serán tres leguas cada día. Es
> forzoso ir desnudos cuantos le navegan, por el mucho calor.
> Al fin de la tarde, toman tierra en unas extendidas playas que
> el río tiene y salen todos, no sin nuevos riesgos, no sólo de
> indios alzados y huidos sino también de caimanes, en tan
> excesivo número que no puede tener tantos el Nilo; los cua-
> les, si cogen alguna persona o bestia, se la llevan al fondo
> [del agua] donde la ahogan y después la sacan a tierra donde

se la comen, y estos fieros lagartos están hasta muy cerca del nacimiento del río. En llegando la noche, hay otro entretenimiento bien singular y es que se cubre todo de mosquitos zancudos, y con tanto exceso se apoderan de un hombre, que al que hallan sin toldo (que muchos pobres no lo tienen y por eso pasan a las Indias), además de no dejarle dormir, amanece labrado de taracea o cubierto de ronchas que parece que le ha dado tabardillo.

¡Qué descanso la llegada a Santa Fe, cabeza de Reino, ciudad que, «aunque no es la más grande de las Indias, dicen que es la más ilustre de ellas»! Desde el año de 1587 en que llegó, estuvo incorporado a su Convento, realizando cuantas tareas se le encomendaron y dando buena muestra de sí, hasta que, por cambio de superior, se vio obligado en 1596 a partir para España. Parece que hubo una injusta sanción y don Martín quiso apelar de ella en Madrid y en Roma. Tres hojas faltan al manuscrito y desconocemos las interioridades del suceso, pero no que nuestro héroe había sido ordenado de sacerdote; se encontraba, por tanto, privado de decir misa o de ejercer algún otro acto eclesiástico y sin derecho al uso de hábito.

Tomó, pues, la determinación de emprender su viaje a fines de 1595 y, considerando que en los peligros a que iba a exponerle tan larga travesía era mejor mudar de atuendo, volvió a vestir los arreos del soldado y a cambiar la correa negra de San Agustín por el cinto y la espada. Contemplémosle en el retrato que de sí propio traza nuestro poeta:

Hombre de más de dos varas de alto, ancho de espaldas y relevado de pecho, recogido de cintura, fornido de piernas, musculadas y fuertes, brazos grandes y duras manos; de pie y pierna, bien hecho, el color más blanco que trigueño, barbinegro, de cabello blando, de buena cabeza, frente mediana, buenos ojos casi verdes, de facciones enteras, nariz larga de anchas ventanas, la boca no grande, sacado de cuello, carnes duras y delgado el cuero, de condición más jovial que triste y, finalmente, de muy buena proporción...; colérico, pero muy reportado, especialmente en los casos de importancia. Alcan-

zó la benevolencia y gracia de muchos amigos, en que tuvo
conocida estrella...; de entendimiento claro, ingenio me-
diano, mucha industria..., de dulce conversación, de lenguaje
casto, veloz en el decir con agudeza [...].

Agreguemos a esta pintura que de sí mismo traza Martín
de León, un vestido a tono con el de los soldados del tiempo,
con bizarría de telas multicolores y alarde de plumas, y tendre-
mos al vivo la estampa del galán que en 1595 embarcó para
España tras quince años de residencia en Indias.

Para hacerlo, hubo de salir de Santa Fe y, pasando por
Tunja, Pamplona, Maracaibo y Coro, embarcó para Santo Domingo, cuya descripción traza con viva pincelada. La amistad
con el gobernador hizo que éste le diese el título de general de
tres navíos que iban para España y así fue forzoso, como él
dice, cambiar la capa por el bastón de mando.

Bien que fue menester porque, sorprendidos los barcos
españoles por infinitamente superior número de piratas, sólo
la habilidad y buenas partes del General lograron salvar la vida
de los tripulantes (salvo nueve muertos), aunque no las ha-
ciendas.

Llegaron, por fin, a Puerto Rico en la crítica ocasión
de ser acometida la isla por veintiséis bajeles ingleses. Es lás-
tima que la falta de tiempo no dé lugar para leer aquí las muchas páginas que a la heroica defensa consagra nuestro escritor, pintura viva y humana de un episodio histórico importante. Por último, libre de atacantes el suelo, liberado de in-
vasores, celebrados los toros y las fiestas que se imponían por
la victoria, embarcó el escritor para España y llegó con fortuna
a Bonanza.

¿Con fortuna...? La tuvo durante unos meses en Madrid,
casi arregló sus asuntos eclesiásticos, con recados buenos del
nuncio de Su Santidad, pero al ir a Cádiz para embarcar de
nuevo hacia las Indias, hete aquí que se convierte en testigo
y actor de la defensa de la ciudad ante el horrible saqueo per-
petrado por los navíos ingleses en 1596.

Más de sesenta páginas dedica Martín de León a este importante episodio y puede asegurarse que es quizá lo de más interés que sobre él se ha escrito. Baste por ahora decir que, cautivo de los ingleses, consiguió escaparse y tornó a Madrid para definitivamente preparar su vuelta a Indias.

Como iba siempre en traje de soldado acomodado y como tenía hartas galas de ingenio, su trato frecuente era con caballeros mozos, de buena sociedad, alegres. Una riña dio motivo para que la justicia anduviera a su alcance y no halló otro remedio y escapatoria sino acogerse a sagrado y entregarse en la cárcel eclesiástica para ampararse en su fuero. De nuevo, el mílite convertido en frailuco humilde.

Nada había, en realidad, contra él y así el nuncio de Su Santidad, informado de todo el caso, le mandó partir para Roma con objeto de que todo se aclarase y pudiera volver a su convento en América.

Doce extensos capítulos ocupan la narración de sus aventuras en Europa y de ellos, interesantísimos para conocer la verdadera vida de hacia 1600, sólo notaremos que en Ferrara sirvió a un cardenal y que en tal ocasión hubo pendencia grave, con heridas y aun pérdida completa de las narices del contrincante; que seguida causa judicial sobre ello, salió libre don Martín y que su cardenal, al despedirle de su servicio, le preguntó si podría valerle en algo. Nuestro escritor, estando a solas con él, le abrió por completo su pecho y la conversación vale la pena de ser copiada:

—Señor, yo soy fraile agustino, sacerdote y confesor, y un Provincial de mi Orden procedió contra mí y, con más pasión que justicia, no guardando los términos del derecho, ni el que yo tenía... me sentenció a que no trajese el hábito... [me puso en prisión, pero me salí de ella] con notable fuga..., púseme luego en camino y aunque en él he sido Capitán dos veces y cautivo otras dos, [ha sido porque me he] hallado violentado y fuera de mi hábito, en el cual quiero seguir.

Admirado, el Cardenal le dijo:

—Yo os prometo, Señor, que ha más de treinta años que

pasan por mis manos negocios peregrinos y raros, y ninguno me ha parecido tanto como éste. ¿Cuánto ha[ce que pasó] el suceso?

—Tres años.

—¡Mucho os quiere Dios —dijo el Cardenal— y sólo os puede tener con vida la intención de volver a vuestro Convento!

Le respondió don Martín:

—Señor, no es otro mi intento sino volver con mi hábito.

Tomó gran interés el cardenal, intercedió con el Papa y éste le otorgó un buleto para que lo presentase al general de los agustinos, quien le dio órdenes apretadas para que volvieran a recibirle en su convento de Cartagena, previa nueva toma de hábito en Ferrara, como así se hizo.

Vuelta a España y de España al Nuevo Reino, donde se incorporó a la comunidad de sus frailes, con gran contento de todos.

Los diez últimos capítulos de la obra están consagrados a contarnos su vida en Indias hasta 1620 en que debió de regresar a su Granada natal y probablemente morir poco después, teniendo ya listo para la impresión el manuscrito en el cual narra sus extraordinarias aventuras.

Como lo que me he propuesto hoy es solamente indicar cuánto hay que hacer hasta que tengamos bien estudiada la literatura iberoamericana de los siglos XVI y XVII, y justificar, con el ejemplo de Martín de León, que aún quedan autores —y de interés— por dar a conocer, he de prescindir de anotar aquí la enorme cantidad de noticias y datos que el manuscrito analizado nos suministra acerca de las ciudades en las que su autor vivió —Lima, Las Charcas, Chuquisaca, Cuzco, Potosí, Guayaquil etcétera— y de otros muchos núcleos de población por los que pasó.

La vida virreinal está borbolleante y humana en las últimas doscientas páginas del volumen y no escapan a la curiosidad del escritor ni la caracterización de las personas, ni la fisonomía de las ciudades, ni las aventuras de militares y civiles, ni la vida del indio aborigen... Creo firmemente que el día que se imprima este libro, poseeremos un testimonio de excepcional valía, no comparable, por lo directo y por lo bien escrito, con ninguno de los que tenemos hoy.

Vamos ahora a decir dos palabras acerca de la obra poética de nuestro forzudo fraile y militar.

Lo que se ha conservado de él es, de una parte, ochenta y cuatro poesías que ocupan los últimos folios del manuscrito; de otra, un buen número de composiciones, sin nombre de autor, incluidas en un rarísimo impreso; el que contiene la descripción de las honras que hizo Lima a la muerte de la reina Margarita.

Precisamente este libro es el que nos descubre la identidad entre fray Martín de León y el supuesto Andrés de León que figura en la portada del manuscrito.

En el casi centenar de poesías, una mitad aproximadamente son de carácter profano y la otra, de tipo religioso. En aquéllas, la temática es variada y va desde un soneto a la navegación por el río Magdalena, al que llama

> Océano dulcísimo y copioso,
> Nilo indiano, fértil y apacible,
> Orontes babilonio y más terrible,
> Betis hispano, Ebro deleitoso [...]

hasta otro en el cual extrema, en comparaciones, su desolación por la ausencia de su amada:

> Cual eclipsado sol, cual viento airado,
> cual mar embravecido y espumoso,
> cual nave sin piloto y sin reposo,
> cual labrador que pierde lo sembrado;
>
> cual ciudad que enemigo ha saqueado,
> cual fuego en pecho de amador celoso,

cual ruiseñor al mundo querelloso,
cual caminante en yermo salteado;

cual viuda que perdió su amado amante,
cual en campaña capitán vencido,
cual enfermo que ya el comer desvía,

cual con peso excesivo, como Atlante,
cual de furia infernal preso, oprimido,
tal estoy yo sin vos, Fenisa mía.

Pasando por otros, dedicados al príncipe de Esquilache, al silencio, a su amante, etc.

Empapado del ambiente poético de Lope, a quien cita (así como a Cervantes), tiene varios romances, de los cuales mencionaré el comienzo de uno, sencilla y honda descripción de la señora de sus pensamientos. Y no choque esta poesía amorosa, porque bien hemos visto que don Martín de León fue galán antes que fraile.

Bellísimo objeto mío
señora y bien de mi alma,
de mi pensamiento alteza,
gloria de mis esperanzas;

cabellos o hebras de oro
que hacen la frente Arabia,
arcos bellos de do tira
amor sus flechas doradas;

ojos negros, luces vivas,
espejos de quien os ama,
mejillas de rosa y nieve
donde se encienden mis ansias..., etc. etc.,

porque no es cosa de traer aquí el largo centón de versos de que consta.

Veamos un soneto amoroso, de los de tipo correlativo, per-

fectamente encajable en la serie que nos redescubrió hace años
Dámaso Alonso:

> Ojos de nueva luz que a eterna pena
> con honesto mirar me condenastes;
> sutiles hebras de oro que enlazastes
> mi libertad con natural cadena.
>
> Labios que del coral mostrais la vena
> y en rigor la del mármol igualastes;
> lucientes perlas que en valor triunfastes
> de las que Oriente celebró en su arena.
>
> Pues muero, mi Fenisa, y es ventura
> al fin de la tormenta hallar el puerto,
> suplícoos (porque viva aquí el decoro)
>
> que sobre mi felice sepultura
> me consintais poner que me habeis muerto,
> ojos, labios y perlas y hebras de oro.

Otros sonetos están consagrados a personas determinadas: a
una dama hija de un gobernador en Indias; al presidente de
la Audiencia de Santa Fe, don Juan de Borja, muy aficionado
a la caza de cetrería; a los amigos con los cuales se acompañaba.
Y no falta tampoco la acerada sátira contra uno de tantos
pobres diablos como llegaban a América investidos de autoridad
y haciendo padecer a los sujetos a su jurisdicción:

> No es más cruel el mar embravecido
> ni el tigre hircano, ni el león furioso,
> ni el áspid libio es tan ponzoñoso,
> ni tan airado el toro perseguido;
>
> ni hay jabalí cerdoso tan temido,
> ni Júpiter tonante tan dañoso,
> ni Dios de las batallas tan brioso,
> ni en yermos salteador más atrevido.

No hay furia tan nociva en el Infierno,
ni pirata en el mar más duro y fuerte,
ni cómitre en Calabria tan insano,

Ni en Scitia tan feroz se vio el invierno,
ni quien se acuerde menos de la muerte
que un Jüez en las Indias, si es villano.

Creo que con estas levísimas muestras hay dos elementos
de juicio bastantes para que podamos incluir a Martín de León
entre los poetas iberoamericanos del 1600. Lo fue por su vida
—cuarenta años en Indias, intensamente vividos— y por su
obra; hay de ella lo suficiente como para preparar una buena
edición y un estudio valorativo que lo encaje en la corriente de
su época.

Lo que puede hacerse con Martín de León no es más que
un caso. Al igual que él, permanecen docenas de poetas sin
que sus obras se cataloguen y publiquen. El campo es fértil
en resultados, pero hay que acometer la roturación. Sólo después de realizar esta tarea, de modo amplio, podremos escribir
con seguridad acerca de la poesía iberoamericana del Siglo de
Oro, reducida hoy en nuestras Historias de la Literatura a una
desoladora e injusta parvedad.

DÍAZ TANCO EN BOLONIA
DURANTE LA CORONACIÓN DE CARLOS V

Fil, Buenos Aires, VIII (1962), pp. 221-240 (publicado antes en francés en *Les fêtes de la Renaissance,* II: *Fêtes et cérémonies du temps de Charles Quint,* París, 1960, pp. 183-195).

Examinados ya por ilustres historiadores los antecedentes, las ceremonias y los cronistas de las coronaciones del césar Carlos V, vano sería repetir lo que tan bien se ha dicho y escrito. Nos limitaremos, pues, a perfilar algo de la borrosa silueta de un escritor andariego, casi olvidado, que consagró parte de su obra poética a rendir tributo de simpatía, admiración y vasallaje al ínclito emperador, y a dar a conocer, en resumen, el contenido del libro de más interés histórico entre los suyos: *Los veinte triunfos.*

Los libros de este errabundo aeda han sido hasta hace poco casi desconocidos.[1] Mencionados en repertorios y bibliografías, puede decirse que hasta 1935, en que descubrimos ejemplares de *Los veinte triunfos,* y 1947, en que reimprimimos en facsímile la *Palinodia,* al cumplirse el cuarto centenario de su salida en letras de molde, apenas si su nombre era conocido más que a través de los extractos que del *Jardín del alma cristiana* se incluyeron en el segundo y rarísimo volumen del *Ensayo* de Gallardo.

Su bibliografía está hecha, pero no así la biografía. Suele ser achaque común de escritores, cuando de personajes antiguos tratan, lamentar la escasez de testimonios biográficos y deplorar que no fueron más pródigos en dar noticia de su persona tanto los contemporáneos como los propios sujetos, si manejaron péñola y entintaron papeles. No hemos de disentir de la general corriente en cuanto se refiere a los que convivieron o fueron

---

1. Para todo lo relativo al tema y para las precisiones necesarias, véase el libro del autor titulado *Bibliografía de Vasco Díaz Tanco, clérigo, literato e impresor de tiempos de Carlos V,* Castalia, Valencia, 1947, 80 pp. en fol.

poco posteriores al peregrino ingenio Vasco Díaz Tanco, pero por fortuna dejó éste desparramadas por sus obras una gran cantidad de datos personales relativos a muy distintas épocas de su vida.

Precisamente la dificultad viene de ahí. Porque si es cierto que son numerosas las notas autobiográficas, no lo es menos que en su mayoría están celadas por un velo tan tupido de alusiones mitológicas, de impresiones tremebundas, de retorcidos hipérbaton, de construcciones latinas y de incisos múltiples y discordantes, que percibiendo el lector con claridad que en el párrafo que tiene ante sus ojos hay alusiones que convendría recoger, imposibilita su tarea la fuerte barrera de un lenguaje inextricable.

Bien es verdad que otras veces se nos presenta más clara noticia y entonces asimos un hilo útil para reanudar la narración biográfica. Vienen asimismo en nuestra ayuda dos documentos hallados hace pocos años por el erudito gallego don Cándido Cid, los únicos que la investigación contemporánea ha conseguido exhumar en los archivos: el testamento y el codicilo de Díaz Tanco.

Hemos vuelto a leer todas las obras que se conservan del autor de la *Palinodia,* así como lo escrito sobre él, y penetrando por el espeso ramaje de verso y prosa, vamos a intentar ofrecer hoy aquí el resultado de nuestras investigaciones. Parva es la cosecha cierta y no puede dar motivo para una biografía, pero sí para jalonar las etapas de una vida hasta hoy poco menos que sumida en las tinieblas.

Nuestra comunicación actual abarcará tres puntos: noticias biográficas de Vasco Díaz Tanco hasta 1530; su estancia en Bolonia con un resumen de los *Triunfos* relativos a la coronación, y vuelta a España: Valencia, impresión de *Los veinte triunfos* y reseña de su contenido.

Prescindimos, pues, por ajeno al interés del tema, del estudio biográfico de Vasco Díaz Tanco desde 1531 hasta 1552, última fecha que conocemos de su existencia, y del examen de los libros que imprimió no relativos al emperador Carlos V.

Notas biográficas hasta 1530

No hay duda alguna de su nombre y patria porque deja constancia de ellos en numerosos pasajes: Vasco Díaz Tanco, hijo de acomodados labradores, nació en Fregenal de la Sierra, pueblo de la provincia de Badajoz. Por su padre era Tanco y por su madre Díaz, tal vez de la familia de otro fraxinense que dejó honda huella de su cultura y su bondad en los Países Bajos: Benito Arias Montano. Así nos lo dice en unos malditos versos de *Los veinte triunfos*:

> Vasco me llaman por nombre
> hijo soy de un labrador
> en la provincia de Extremo
> do me viene el disfavor.
> Tanco de parte de padre [...]
> Díaz tomé de mi madre [...]
> mi linaje no es muy alto [...]
> mas de mediana manera [...]

remachándolo más aún en este otro pasaje:

> En Fregenal de la Sierra
> nací yo desventurado
> en la provincia de Extremo
> al pie del cerro tiznado [...].

De su familia, crianza y ambiente familiar, nada más sabemos. Sólo, sí, que tenía una hermana llamada Isabel González, con la cual debió de estar en buena armonía toda su vida puesto que la recuerda en su testamento.

Él mismo se llama numerosas veces clérigo de la diócesis de Badajoz. Teniendo en cuenta que hacia 1528 era ya sacerdote y se confesaba hombre de mediana edad, nada temerario parece suponer que su nacimiento debió de ocurrir en los años finales del siglo xv.

Hay vagas referencias a unos amores juveniles no correspondidos y a la muerte violenta de un hombre —Gutierre de Cárdenas— que malintencionados le achacaron, aunque nada tuvo que ver con ella, y que le obligó a expatriarse. En la dedicatoria del *Terno farsario* al marqués de Villanueva del Fresno asegura que sus émulos extremeños «con tanta violencia contra este pequeño barquillo se desenfrenaron que tomar derrota y reconoscer nueva patria y salir a puerto sin peligro, no ha sido poco».

Parece ser que esta escapatoria se hizo a Portugal, puesto que en el *Triunfo bélico* él mismo se encarga de narrarnos su periplo. Alude en el comienzo a sus dificultades en Fregenal y a cierta persecución de que le hicieron objeto algunos enviados de las autoridades de Badajoz, a los cuales consigue burlar metiéndose en Portugal por el Algarbe y llegando a Tavira.

Embarcó en este sitio para bordear la costa, pero al llegar a Coín les dieron el alto corsarios franceses, los cuales, reconociendo ser portugués el barco, le dejaron ir libre, salvo a nuestro poeta a quien cautivaron por ser español. Una tempestad en el Estrecho hace que lusitanos y franceses vuelvan a encontrarse al abrigo de Arcila, teniendo la suerte Díaz Tanco de que «por las himeneas fiestas que había» le pongan en libertad sus aprehensores.

Aquietada la tormenta, parten para Murcia, pasan por Cartagena, en donde desembarca, yéndose a Valencia. Como encontrara revuelta la tierra se marchó a Cataluña, desde donde narra la catástrofe francesa en Pavía, entremezclándola de tupidísimas alusiones mitológicas. Claro está que la acción relatada en el opúsculo ha de ser colocada entre 1524 y 1525.

En 1526 se hallaba, al parecer, en Sevilla, pues, como testigo de vista narra el casamiento de Carlos V con Isabel de Portugal en aquella ciudad: en el *Triunfo nuptial* asegúralo así,

> Mi vista de aquesto indigna
> de donde no estaba ausente [...]

y después de enumerar con todo detalle cuantos estuvieron presentes a la ceremonia, no sin dejar de incluir sabrosos comentarios a veces, agrega un dato personal curioso:

> Ya era casi despedida
> del gran colegio la luna
> cuando con voz muy subida
> oí: La cláusula es cumplida
> erunt duo in carne una.
> Entonces lo que repugna
> al acidia muy pujante
> me puso en leticia alguna
> pero mi adversa fortuna
> a antropos me echó adelante.
>   Por ver la fiesta jocunda
> del orbe más sublimada
> me vi una pierna rasgada
> por la estéril infecunda
> de mí tan acariciada.
> Y aunque era demasiada
> mi gran fatiga al presente
> el dolor me fue ausente
> con la música acordada
> de aquesta canción siguiente.

El nacimiento de Felipe II en Valladolid, el año 1527, le da motivo para componer su *Triunfo natalicio,* detallada relación de cuantas ciudades, pueblos, obispados, etc. lo festejaron. Aunque de alguna alusión parece desprenderse que se halló entonces en Valladolid, no la creemos suficientemente expresiva como para afirmarlo.

No puede dudarse, en cambio, de su presencia en Roma durante el saqueo de la ciudad por los españoles en 1527. En el *Triunfo púgnico* lo narra como presente. Al parecer se hallaba allí gestionando negocios propios, tal vez relacionados con sus dificultades en Fregenal, pero al ver el cariz que tomaban las cosas

> y pues mi deseo me fue tan falible
> por ser los negocios en tal suspensión
> me fui para el reino sin la conclusión
> de lo que esperaba pues era imposible.

Vuelto a España, lo más probable es que desembarcara en Valencia, pues allí se encontraba en 1528 cuando hizo su solemne entrada Carlos V. Como testigo de vista narra todo lo sucedido en la ciudad del Turia, precisando detalles como el del encuentro del césar con Germana de Foix:

> La reina Germana vi
> que la mano le pedía
> do Carlo responde allí:
> dadla vos, señora, a mí
> en diferencia los vía
> quién daría a quién la mano
> do tomé mucha alegría
> por tan sublime porfía
> y quedé muy más que ufano.

o el accidente que sobrevino al derrumbarse el pretil del puente, debido a la multitud que contemplaba el recibimiento.

> Do por abundancia que había el puente
> de gentes diversas hacia una banda
> muchos acostando, quebró la baranda
> do fueron al río gran golpe de gente.
> Porque no miraron el inconveniente
> algunos murieron que fueron debajo
> que dieron gran golpe encima de un saxo
> y en el agua honda allí juntamente.

> De onde salen elevados
> con caída tan horrible
> los unos bien remojados
> los otros descalabrados
> con espanto muy terrible.
> Porque ya vieron visible

la muerte en medio los aires
o gran cosa y muy sentible
eran en caso infalible
niños, donas, hombres, flaires.

Parece razonable colocar entre 1528 y 1529 una estancia prolongada de Vasco Díaz Tanco en Portugal. Él mismo se encarga de decirnos en varios sitios que gozó de la protección del infante don Luis: escribiendo al prior de San Juan le manifiesta que, después de las adversidades pasadas, su primer protector fue «el excelente y nobilísimo don Luis, infante de Portugal, a quien yo tan inmovible y lealmente he servido».

De sus andanzas en esta etapa portuguesa nada podemos decir en concreto: tampoco hay posibilidad de precisar cuál fue el apoyo del Infante ni cuánto duró la estancia en tierras lusitanas. Posiblemente recorrió el país, solitario, dando suelta a su afán por conocer tierras, costumbres y monumentos, llevado de esa inquieta curiosidad que ha de ser en adelante su característica.

Asimismo, una de sus grandes pasiones, la lectura, debió de arrebatarle en esta época, pues pocos años después se nos aparece como hombre de cultura considerable, con amplios conocimientos de los clásicos, de los santos padres y expositores, de la historia y geografía y hasta como consumado paleógrafo.

De Portugal pasó a Aragón, a Zaragoza. Con toda certeza en esta ciudad se decidió a intentar la aventura de la letra de molde: compuso tres volúmenes, el primero de los cuales contenía tres comedias, el segundo tres farsas y el tercero tres diálogos. Decidido a imprimirlos buscó el apoyo de tres poderosos: el marqués de Villanueva del Fresno, el castellano de Amposta y el condestable de Castilla, ofreciéndoles ya estampadas las dedicatorias y prólogos correspondientes. Pero no debió de tener fortuna puesto que, en los dos ejemplares conservados del librito, sólo hay estos preliminares.

El *Terno dialogal autual* lo dedica al condestable de Castilla don Pedro de Velasco: sostiene que los autos son convenientes para distraer el espíritu de los trabajos fuertes, y como tales estima los que pasó el condestable en tiempo de las Comunidades, en las guerras entre España y Francia sobre Fuenterrabía (1522), etc. Tres diálogos habría de contener el volumen: *Diálogo real,* dando cuenta de todos los reyes de Castilla desde Túbal hasta Carlos; *Diálogo imperial,* hablando de todos los emperadores, desde Julio César hasta el mismo Carlos V, y *Diálogo pontifical,* en el que pasaba reseña a los papas comenzando por san Pedro y concluyendo por Clemente VII.

Dedica el *Terno farsario autual* a don Juan Portocarrero, marqués de Villanueva del Fresno, y allí se indica cómo, perseguido en Extremadura injustamente, tuvo que salir antes de que acabasen con él, motivado todo por la lengua de un maldiciente a quien fustiga sin nombrarlo; en tal ocasión abandonó todos sus bienes materiales excepto los *propios,* es decir, los intelectuales. Contendría el tomo tres piezas: la *Farsa benedita,* de la Natividad del Señor; la *Farsa aretina,* sobre el mismo tema, y la *Farsa patricia,* relativa a la Cuaresma.

A don Juan de Aragón, castellano de Amposta, aparece ofrecido el *Terno comediario autual,* en cuya dedicatoria se dice hombre de mediana edad, perseguido por la envidia y la calumnia, que ha debido acogerse al excelente don Luis, infante de Portugal «a quien yo tan inmovible y lealmente he servido» y ahora «en este ínclito reino de Aragón», en «esta aragonesa nación». Ya se nos aparece como capellán. Las piezas ofrecidas eran la *Comedia potenciana* sobre la Resurrección, la *Comedia Dorotea* en loor de Santiago, y la *Comedia Justina,* «que introduce un casamiento acontescido, por todos los modos de composición que yo he podido quimerizar y comprehender». ¡Curiosísima analogía retórica con el libro que López de Ubeda habría de publicar tres cuartos de siglo más tarde con el título de *La pícara Justina*!

Parece indudable que estos plieguecillos se imprimieron en Zaragoza por Pedro Hardouin: los bibliógrafos, desde Salvá hasta Sánchez, concuerdan en que los tipos son exactos y fechan la edición entre 1528 y 1532. Como al referirse a Carlos V le llama emperador podría caber la duda de que fuesen posteriores a 1530, fccha de la coronación, en cuyo caso es muy raro que el autor —tan alardoso, como luego veremos, de sus viajes— no lo indicara. Creemos que son algo anteriores a tal fecha, aproximadamente de hacia 1529.

La estancia en Bolonia

Lo cierto es que no debió de prolongarse mucho la estancia en Aragón, puesto que a fines de 1529 se encontraba en Bolonia. Creemos que se hallaba bien rclacionado con los españoles importantes que allí había, como van a testificarlo dos hechos que relataremos. Menciona en su testamento que «en Bolonia prendieron a Francisco Pacheco y a Francisco de Fregenal, y estaban para los justiciar y pedilos al señor marqués del ... [*falta*] me los diese y lo hizo con condición que pagasen lo que habían robado, y pagué por ellos al Caballero Gonzalo Zadín doscientos ducados». Estos dos malhechores vivían, dieciocho años más tarde, libres: uno en Zafra y otro en Fregenal.

Parece desprenderse de aquí que Vasco Díaz Tanco, aunque según su propio testimonio de poco antes había perdido sus «apelativos bienes», no andaba escaso de dineros ni mucho menos: doscientos ducados era cantidad harto importante.

Confirma lo dicho el que viviera en compañía de personas de cierto nivel social elevado, como don Pedro de Mendoza. Falleció este caballero en Bolonia, en la posada de Vasco Díaz, dejando en su poder un caballo, armas milanesas, casaca de terciopelo con manga de brocado, calzas de piel, camisas, guantes, pañizuelos, etc. Hallábase allí a la sazón, con Carlos V y Clemente VII, lo más granado de la sociedad europea y el entierro del don Pedro hubo de ser solemne y costosísimo. Acudió Vasco Díaz al marqués de Villena, deudo del fallecido, para que proveyese a todo, pero el pariente descargó en el clérigo extremeño los engorros y gastos del sepelio, que ascendieron a más de cincuenta ducados, sin que se le pagase de ellos un maravedí. Antes bien, el obispo de Jaén, hermano de don Pedro de Mendoza, le reclamó los bienes «si no que me pondría en aprieto [y] digo que de los dichos bienes y gasto de su sepultura que yo hice en honrarle y sepultarle como lo saben los señores marqueses de Villena y de Astorga y otros, y si algo tenía lo dejó en Florencia en su posada, porque a mi poder no vino más de lo dicho y declarado y del dicho gasto se me deben más de cincuenta ducados».

De la estancia en Bolonia es de donde sale Vasco Díaz Tanco como cronista del emperador, como cantor en verso de sus triunfos bélicos y políticos, y como recopilador de la obra ya más conocida, la *Palinodia de los turcos* que no había de publicar hasta diecisiete años después; allí le alaban en elegante latín Blas Moscoso, fray Martín Lozano y Marcos Barrios; allí, en fin, entre tantos hombres ilustres, victoriosos capitanes y letrados insignes, experimentó el andariego extremeño la sensación de hallarse lejos de la rusticidad provinciana, en el centro del mundo contemporáneo.

En Bolonia tuvo por vez primera noticia de la obra del famosísimo Paulo Jovio sobre los turcos, dedicada a Carlos V y oyó de labios autorizados críticas poco favorables para ella. Comentábase en el campo del Emperador que faltaban muchas cosas en el volumen y que aquel «reverendísimo autor no debiera callar en su obra lo que quisiera saber en la ajena». Tales opiniones influyeron en nuestro clérigo para que, hallándose ya en España, se diese a la lectura de cuantos impresos y manuscritos tuvieran relación con los turcos, y, tomando notas de unos y otros, preguntando a griegos e italianos, estando bien informado, se decidiese a escribir su libro. Pero, de esto, en otra ocasión trataremos.

Nada hemos de consignar aquí del aspecto material y político de Bolonia en los días de las coronaciones, porque cae por completo fuera de los estrechísimos límites de una ligera noticia biográfica. La impresión que produjo en Vasco Díaz debió de ser imborrable y al redactar *Los veinte triunfos* sin duda tuvo presentes a más de las relaciones volantes aparecidas como noticieros, los apuntes personales que tomó.

Vamos ahora a extractar, sumariamente, los dos opúsculos poéticos de Díaz Tanco consagrados a las coronaciones: prescindimos, al hacerlo, de muchísimos detalles curiosos, ya que nuestro propósito es tan sólo el de seguir la línea esquemática de su narración.

Triunfo real magno. (Primera coronación de Carlos V.) En 1530, conocida la aprobación de los Electores, el papa Clemente VII mandó que se celebrase la coronación de Carlos V en Bolonia. El día de la Cátedra de San Pedro, el Dertusense, acompañado de ocho obispos, recorrió el camino, cubierto de laurel y cedro, desde San Petronio a Palacio, donde se hallaba Carlos, quien,

ıvestido de perlas preciosas y oro,

salió de coro rodeado de la nobleza italiana, española y flamenca, ricamente ataviadas.

Portaba el duque de Escalona, enhiesta, la espada de Carlos; el de Astorga, el cetro; el de Villafranca

[...] entre tantos señores publica
que arto en el mundo será sublimado.

El duque Alejandro de Médicis llevaba una gran esfera de oro representando el mundo que Carlos V había de dominar. El de Monferrara la gran corona de Milán.

Seguían, con magníficas vestiduras, el marqués de Aguilar y los de Saldaña, Fuentes, Altamira, el comendador mayor de León, don Juan Pacheco, cuyas ropas, recamadas de oro, pesaban tanto que acabada la ceremonia se marchó en seguida; don Alonso Téllez, los príncipes de Astilano, Melfa y Bisiñano y los condes de Sayaço y Miranda.

Luego iban cubicularios, comendadores, camareros, continos, secretarios y pajes a quienes seguía la guardia del césar.

Entre dos diáconos, Médicis y Doria, iba Carlos y enseguida el maestre del Malta leyó un breve; habló luego el Dertusense, amonestando a Carlos para que fuese paladín de la cristiandad y después le tomó juramento en el que el césar promete adhesión al papa y a la Iglesia.

Tocaron luego los ministriles y los cantores recitaron una letanía a cuyas invocaciones todos contestaban *ora pro eo*; luego Carlos hincó las rodillas sobre un cojín de oro

con los cardenales que no tienen sillas

y se cantó el «Pater noster» seguido de una oración impetrando para Carlos la ayuda divina.

Después, despojado el césar de sus vestiduras, se procedió a ungirle pecho y espalda, hecho lo cual el Dertusense recitó otras dos oraciones impetratorias cuyo texto, como el de todas las demás, nos ha conservado Vasco Díaz.

Cubierto luego Carlos con un largo manto, sentóse en su silla

como sacerdote con manto de rey.

Llegó entonces Clemente VII con gran acompañamiento y el monarca fue a recibirlo humillándose a él y recibiendo su bendición. Después de la oración del papa, comenzó una misa durante la cual el pontífice sentó al césar a su derecha.

A los kyries, se rezó una oración en favor de Carlos y fueron depositados al pie del altar por sus portadores el globo, la corona, el cetro y la espada. Leída la epístola, el rey se acercó al papa y éste le puso un anillo. Arrodillado luego, el de Pistoya dio a Cibo la espada y éste al papa, quien, desnuda, la ciñó a Carlos incitándole a usarla con justicia. Del mismo modo le fue entregada la corona de Milán,

> y viendo que aquesta muy pequeña es
> la otra trajeron del pueblo romano,

la cual le fue impuesta, entregándole luego el cetro y el globo, recitando en cada caso la exhortación correspondiente. Quedó, pues, proclamado rey de la Lombardía y de romanos, y en ese momento se dispararon salvas de artillería.

Revestido así, condujeron al césar entre Médicis y Doria a un grande y magnífico estrado, donde le retiraron la espada entregándola al marqués de Moya.

En el ofertorio, besó el Monarca la patena y entregó diez doblones como estrena y promesa de defender la cristiandad contra turcos y sarracenos.

> El César allí recibió el Sacramento

y terminada la misa, revestido Clemente VII con mitra, tomó a Carlos de la mano y salieron precedidos del sacro colegio de cardenales, prelados y embajadores, mientras se oía la música y el canto de los pajes acompañado de la alegría popular.

Triunfo imperial máximo. (Segunda Coronación de Carlos V.) En 1530, jueves por la mañana, día de San Matías y cumpleaños del césar Carlos, el conde de Leyva salió al frente de la infantería formando batallón en la plaza de Bolonia. Trajeron entonces, atravesado por un inmenso vástago un gran buey entero, con pezuñas y cuernos dorados, relleno de toda clase de aves; fue instalada, asimismo, una gran fuente de vino tinto entre dos pilares coronados y con la leyenda *Plus Ultra,* adornados con dos leones y un águila.

Se organizó luego una gran comitiva en dos procesiones, formada por los condes, oficiales, escriptores, hostiarios y cubicularios del papa. Tras ellos, los obispos, patriarcas, colegio de cardenales y Su Santidad con vestiduras pontificales y bajo riquísimo palio. Penetró en la iglesia, entre Cesis y Cibo, y se rezó tercia.

Y sobre una veste de su majestad
el Papa y su Sacro Colegio rezaron
con mil ceremonias, do ya que acabaron
se sienta en la silla de su dignidad.

En el puente de San Petronio a Palacio esperaba la comitiva. El de Saboya tenía la corona imperial en las manos; el de Baviera, un globo de oro; el de Monferrato, el cetro, y el de Urbino, la espada; estas insignias eran joyas de incalculable valor, así como las vestiduras de los nobles.

Carlos, revestido con el manto y la corona *que el martes tomó* (en la primera coronación), pronunció la fórmula de juramento de sumisión al papa y defensa de la cristiandad. Vistiéronle entonces *la almucia y la cota,* como a canónigo de San Pedro y el Monarca

dio paz a los otros con mente devota

después de lo cual cantó con toda la clerecía pidiendo la ayuda de Dios y de san Pedro.

Pasó la comitiva el puente que, a causa de la muchedumbre, se rompió ocasionando algunas víctimas. Carlos acabó de atravesarlo sereno y milagrosamente ileso.

Lleváronle los cardenales a otra capilla donde le quitaron almucia y cota, cambiándolas por calzas y manto muy rico. El gran Ancona rezó una oración pidiendo para Carlos el favor divino; pasó luego a humillarse éste ante el papa y se recitaron letanías, trasladándose enseguida a otra capilla donde fue despojado del manto imperial y Frenesio (*sic*) le ungió el brazo derecho y la espalda con óleo santo, en nombre del papa, recitando la correspondiente oración.

Conducido de nuevo ante el pontífice el monarca, recibiólo aquél dejando su silla y abrazándolo. Arrodillados ambos pronunció Frenesio la confesión, acabada la cual, Clemente incensó ante el altar y ante Carlos.

Ocuparon los respectivos sitiales y puestas las insignias (espada, cetro, corona y globo) al pie de la sagrada mesa, comenzó la misa. Cantóse la epístola en latín y griego; al gradual, Carlos fue llevado ante el Papa para que éste procediese a la imposición de las insignias: primero, la espada desnuda, y luego, cetro, globo y corona, diciendo en cada caso la pertinente exhortación. De nuevo ocupó el monarca su sitial, mientras el colegio cardenalicio cantaba letanías impetrando la ayuda de Dios y de los santos para el ya emperador.

El gran Cesarino cantó en latín el evangelio, el de Rodas lo hizo en griego y después el ungido ofreció treinta doblones de a cuatro ducados,

do él y Clemente al altar muy llegados
a Carlo yo vi subdiácono ser.

Entonces el papa ocupó de nuevo su silla y le fueron llevadas dos hostias consagradas, una grande y otra pequeña; partió en dos porciones la grande, consumiendo una de ellas y bebiendo del cáliz *con un cañón de oro*; repartió la otra entre Cesarino y micer Alberino y el emperador consumió la hostia pequeña.

Terminada la misa, el pontífice bendijo a Carlos y Cibo publicó la concesión de grandes indulgencias.

Salieron de la iglesia Clemente VII y el césar, *mano por mano,* entre dos procesiones y el Papa iba rogando al Emperador no olvidase el inminente peligro turco.

Ya fuera del templo, Carlos V se empeñó en sostener el estribo mientras cabalgaba el pontífice y en llevar luego a pie las riendas de la montura, pero a ruegos de Clemente dejó de hacerlo y montó en su hacanea

cubierta de perlas y esmalte muy fino

con ayuda del duque de Urbino.

Se formó la cabalgata figurando a la derecha las gentes del papa y a la izquierda las del emperador. Seguían los estandartes del pueblo, llevados a pie, las bermejas enseñas de los *cursores,* los doctores con sus cadenas, el conde Gambaro con el pendón boloñés, el conde Julián Cesarino con el romano, el conde Rangon con el pontificio, de color blanco, y don Juan Manrique y monsieur de Utrech con las insignias imperiales. A continuación, tras cuatro blancas hacaneas ricamente cubiertas, iba un magnífico baldaquino con la cruz papal y cuatro bastones llevados por servidores de Su Santidad; bajo él caminaba un trotón blanco, cubierto de oro y plata y con una dorada campana al cuello, llevando una preciosa caja que encerraba el Santo Sacramento; marchaba guiado por un palafrenero lujosamente vestido y a su alrededor eran portadas doce antorchas de cera blanca. Continuaba la comitiva de cardenales, patriarcas, arzobispos, obispos y demás gente de iglesia; embajadores, nobles y reyes de armas; uno de éstos, el del césar, arrojaba monedas de oro y plata que llevaban grabadas las columnas imperiales y la fecha de la coronación.

Por último, venían el papa con el emperador, consiliarios del Consejo Secreto, secretarios y un

> hombre a caballo con armas lucientes
> que trajo una lanza so un pabellón

y la gente de armas de Carlos V.

Terminó el desfile retirándose Clemente VII con el Santísimo Sacramento y los cardenales y marchando el monarca con su séquito a Santo Domingo, donde el colegio de San Juan de Letrán cantó un «Te Deum» y fue impuesta al emperador la almucia de canónigo, después de lo cual Carlos armó varios caballeros dándoles el espaldarazo.

Retiróse luego a Palacio y allí recibió a quienes habían portado estandarte. Sonaban continuamente salvas de artillería y arcabucería

> que no parecía sino que la tierra
> se abría y el cielo hacía gran guerra.

En una gran sala fueron dispuestas y servidas dos abundantes mesas, en una de las cuales se acomodó el emperador, teniendo ante sí las insignias imperiales y a la otra se sentaron los cuatro nobles que las habían sostenido durante la ceremonia, departiendo con ellos muy animadamente Carlos.

Los manjares que sobraban eran arrojados a la plaza, donde se los disputaban las gentes que, además, tomaban cuanto querían del buey relleno y del vino a que antes aludiera, bailando a su alrededor con gran júbilo y algazara.

No queremos concluir este extracto de los poemitas relativos a las *Coronaciones* sin advertir que Díaz Tanco tuvo siempre a gran gala haberse hallado presente en ellas. Nos lo dice en el sumario de los *Triunfos,* primera obra que imprime después del suceso, y en la última que conocemos de su pluma, veintidós años más tarde (1552), el *Jardín del alma cristiana,* hablando del subdiaconado, expresa:

> Algunos dicen que es ésta la orden que suele tener el emperador de Roma, e otros dicen que en la misa del Sumo Pontífice el Emperador usa deste orden, por que es Canónigo en la Iglesia de San Pedro y no por otra cosa, de manera que por una vía o por otra el Emperador es Subdiácono, y yo soy testigo que le he visto cantar una Epístola en Bolonia en su coronación, estando vestido con su alba y estola y amito y manípulo de altar.

Triunfo literario de Díaz Tanco en Bolonia

Con motivo de las fiestas de la coronación, según nos dice el reverendo fray Diego de Jerez en unas páginas latinas con las cuales finalizan *Los veinte triunfos,* en 23 de marzo de 1530, se fijaron, por muchos sitios de la ciudad y en diversos idiomas y caracteres, tres tesis clásicas: *De Lege, De Rege* y *De Grege,* que habrían de sustentar quienes se sintieran con fuerzas intelectuales para ello.

El *De Lege* fue mantenido con lauro por Juan Cornejo; en el *De Rege* triunfó Antonio Blanco y, finalmente, «fue mantenedor en el tercer título *De Grege* el Rdo. Vasco Díaz Tanco, quien disputando contra italios, panonios y germanos, alcanzó la palma y logró la victoria combatiendo a los antedichos con firmes y notabilísimas respuestas».

Fueron jueces auditores en el litigio literario el venerable Marcos Barrios, insigne y famosísimo poeta, el magnífico Blas Moscoso, elegantísimo doctor, y el reverendo fray Martín Lozano, profesor de Sagrada Teología: no contentos con otorgar el premio y proclamar las excelencias de los triunfadores, compusieron tres poemitas latinos en honor de nuestro Vasco Díaz Tanco los cuales incluye éste con ufanía, para cerrar brillantemente el volumen de Los veinte triunfos.

VUELTA A ESPAÑA.
RESUMEN DE «LOS VEINTE TRIUNFOS»

Parece que a su vuelta de Bolonia hizo larga residencia en Valencia y sabemos de sus relaciones con un Juan de Ribas, en cuya casa debió de vivir y en donde —todavía en 1548— conservaba un cofre con libros y escrituras y otro con vestidos de su persona.

En la ciudad del Turia perfiló tareas anteriores y ordenó el libro más importante de los publicados o escritos durante lo que llama su época juvenil: Los veinte triunfos. La idea era reunir veinte poemitas consagrados a otros tantos temas de carácter histórico o biográfico, cada uno de los cuales iba dedicado a un duque. Mézclanse y se confunden en estos Triunfos las alusiones más varias en el más inextricable lenguaje que nos sea dado leer: ya dijimos anteriormente que muchas veces se encuentra el investigador en presencia de textos en los cuales adivina perfiles biográficos sin que le sea posible precisar el sentido exacto.

También anduvo en tratos y negocios con los impresores Juan Navarro, Jorge Costilla y Fernando Díaz, en cuyos litigios interviene y a los que facilita dinero en no escasa medida. Con seguridad estas relaciones con impresores debieron derivarse de sus propósitos editoriales con respecto al volumen de *Los veinte triunfos*.

El hecho de carecer de lugar, año de impresión y nombre del tipógrafo, inclina vehemente nuestro ánimo a creer que Vasco Díaz inició allí sus actividades con la prensa y el componedor. Que se estampó en Valencia parece indudable: en un plieguecillo añadido al final del volumen para subsanar errores figura una *Epístola* en verso, que fecha

> de Valencia,
> del año de mi ausencia
> del mes de mi gran pasión,

y por otra parte en el *Triunfo viático,* dice:

> y vine a Valencia do quedo al presente
> de vuestra grandeza leal servidor.

Y que fue obra material de Vasco Díaz se desprende de la dedicatoria que aparece en el folio tercero, en la cual dice claramente «el presente vigésimo triunfal por mi pobre industria fabricado».

Ya hemos procurado sacar algún fruto de varios de los *Triunfos* y tócanos ahora reseñar, siquiera sea sumariamente, el resto de los contenidos en el volumen, según el orden que llevan, aunque no se corresponda con el posible cronológico. Para que el lector se dé cuenta del estilo oscuro de Vasco Díaz, nos extenderemos algo en el compendio del primero de ellos.

Triunfo viático naufragante. Narra las peregrinaciones y aventuras de un viaje emprendido un siete de febrero desde Cádiz. Aunque con marea contraria para el estrecho de Gibraltar, Málaga, Marbella, Almería, Cartagena, sierras de Bernia, Valencia, Tarragona y Barcelona:

> De allí a los Alpes que van a la magna
> seguimos derecho a la isla gorgana
> de Génova a vista,

Liorna, donde quedan surtos; más tarde caminan a Pisa, Florencia, Siena, lago de Santa Cristina, Viterbo,

passé la montaña con mucho temor
que la superaban nublados inmensos
do procesión magna de hombres suspensos
me fue acompañando por darme favor.

Do al tiempo que estaua jocundo y contento
por verme en reposo y en mucha quietud
passando la vida con gran rectitud
se me succediera fatiga y tormento
que al pueblo veyendo con pérfido aliento
mis pobres negocios propuse finir
para que pudiesse mi bien conduzir
al fin ya preuisto por mi pensamiento.

Do siendo el despacho ya puesto en effecto
de lo que propuesto por mí sido hauía
por tesso eleuado comienço la vía
y buelta de España con modo inquieto
diziéndole: o pueblo de males repleto
pestífero infierno también paraýso
enmienda tus passos verás que te auiso
quel arte que traes a dios no es acepto.

Allí me retraxe con mil disfauores
quarenta mil passos do está la seneta
la qual yo llegando vi estar muy repleta
de brauos hetrurios de nos detratores
do yo caminando con muchos temores
por tácito modo vi por las escalas
salir los birremes tendiendo las alas
de los libianos de nos agresores.

Do yo me apartando de los que veýa
vi por los silencios venir de diana
dos grandes esquadras de gente profana
que aráuiga lengua hablar les oýa
allí cada uno tras mí discurría
con passos veloces assaz furiosos
do yo no sintiendo mis pies perezosos
caý de un barranco perdiendo la vía.

Allí fui cercado con gran confusión
de la berberisca nación libiana
do mucho temiendo la muerte temprana
me fue conueniente rendirme en sazón
de allí me lleuaron con alteración
hazia la marina, las manos ligadas
do siendo tres barcas en tierra llegadas
me vi puesto en ellas con gran illusión.

Hecho prisionero por los argelinos, le ponen a remar en galeras. Ahuyentados los cómitres y regentes a vista de la armada de Andrea Doria, quedan solos los forzados, los cuales reman hasta Etruria, echan anclas en una playa y logran romper sus grillos abandonando la fusta, de la que se apropiaron ciertas galeras de la Liga que por allí pasaban con orden de ir a combatir a Génova.

Consiguieron los ex cautivos comprar una fragata y, tras múltiples peripecias en Liorna, llegan a Génova. Pasó de allá Vasco Díaz a Milán y Pavía, en donde le cogió la Nochebuena, y siguiendo por Cassal y Asti, por Saboya entró en Suiza, de cuyas herejías y sectas se hace eco. Permaneció «tres edades de Diana» (¿meses?) y al cabo, por Francia, en donde residió poco tiempo a causa de la peste,

vine en Valencia do quedo al presente
de vuestra grandeza leal servidor.

Triunfo gálico profano. Es una exclamación contra Francisco I de Francia por haber quebrantado su juramento cuando Carlos V le dio libertad.

Triunfo contencioso expugnable. «Relata —son palabras del propio Vasco Díaz— la victoria de españoles contra franceses, venecianos y lombardos en el Andriano, so la gobernación de [...] Antonio de Leyva.»

Triunfo cisalpino exclamatorio. Hermosa exclamación poética sobre el acuerdo que Francisco Sforza, duque de Milán, tuvo

con Lombardía, por el cual Carlos V le hizo merced del título
de duque. Hay en este opúsculo verdadera emoción y es de lo
mejor y menos medieval de todo el volumen.

Triunfo peregrino reliquiario. En tiempos en que había paz
entre España, Francia y Venecia, queriendo el poeta ganar indulgencias, marchó a Roma; fruto de su peregrinación es este
detallado inventario —¡en verso!— de cuantas iglesias visitó
y cuantas reliquias se hallaban en ellas, sin añadir pormenor
biográfico alguno.

Del *Triunfo canario isleño* así como del *Triunfo gomero
diverso* hicimos hace largos años una edición comentada y ello
nos excusa de volver aquí sobre el tema.

Triunfo de paz heroico. Es una larga exclamación por la
paz y sus beneficios, en abstracto, llena de alegorías medievales.

Triunfo de Fortuna elegíaco. Inspirado en el tema clásico
de la rueda de la Fortuna, que sublima para dejar caer, va
Díaz Tanco ejemplificando con personajes mitológicos e históricos la inconstancia de los bienes y famas: curiosa es, entre
los contemporáneos suyos, la alusión a los Comuneros y al
famoso Encubierto de Valencia.

En el *Triunfo frexnense extremeño,* reproducido también
en otro libro nuestro, pasa revista a su pueblo natal, Fregenal
de la Sierra, dando curiosísimos detalles topográficos y características de sus habitantes.

Triunfo de guerra satírico. Seguramente es el más oscuro
de todos los opúsculos contenidos en el volumen, y adivinamos
en él veladísimas alusiones a quienes quieren mover guerra contra España.

Triunfo tartáreo horrendo. Extensa y detallada enumeración de los «abominables ángeles dañados» con infinidad de nombres, cargos y características de los ejércitos de Luzbel.

Triunfo de justicia executorio. Apología de la justicia en presencia de numerosos textos de sabios y doctores, que sirven como de introducción a una larga *Epístola* en latín a los jueces españoles, con la cual se acaba el volumen.

Conclusión

Por contemporáneo de todo lo que narra, por testigo presencial muchas veces y por observador agudo, creemos que en adelante hay que contar, entre los cronistas del emperador Carlos V, a Vasco Díaz Tanco de Fregenal. En este rapidísimo examen que hemos hecho de sus *Veinte triunfos,* hallamos diez monografías en verso sobre otros tantos sucesos importantes de su vida. Sólo hemos querido aquí apuntar esta faceta histórica en la producción literaria, abigarrada y confusa, de quien en la primera mitad del siglo XVI, por sus propios medios y desempeñando variadísimos oficios, recorrió desde Portugal hasta Grecia y desde Suiza hasta Argel, llevando siempre en sus ojos la curiosidad del investigador y en los puntos de su pluma prontos los versos en que narrar lo visto, entre las ásperas mieles de una erudición frondosa.

CINCO NOTAS SOBRE ROMANCES

I. LA MUERTE DE BALDOVINOS

Menéndez Pidal ha estudiado los cuatro romances de Baldovinos, hoy conservados en distintas versiones, y la posibilidad de existencia de un *Cantar de Sansueña* fuente de ellos, poniéndolos en relación con la *Chanson des Saisnes*.[1] Por primera vez incorpora a este ciclo el que comienza «El cielo estaba nubloso...» que, procedente de la *Silva* tercera (1551) había dado a conocer Menéndez Pelayo (*Antología*, IX, p. 250), aunque, inexplicablemente, no lo tuvo en cuenta al ocuparse del tema.

Señala que toda la primera parte de «El cielo estaba nubloso...» sigue claramente una escena de la *Chanson*, pero que en la segunda el anónimo autor desarrolla «una intensa poetización, delicadamente patética y caballeresca, pero muy divergente respecto al poema de Bodel».

En un cancionero ms. del siglo XVI, recopilado al parecer en Toledo entre 1570 y 1580, que me propongo publicar en breve, he hallado una glosa de esta segunda parte, que quizá contribuya a arrojar alguna luz sobre el asunto. Dice así:

> En la falda de vna sierra
> Ribera de vn fresco Rio
> vide vnas andas en tierra
> con ellas gente de gerra
> 5   que avmentava el dolor mio
> por insignas negras vandas

---

1. *Romancero hispánico*, I, pp. 251-256.

en leonado color niva [?]
y por cubiertas de arriba
cubiertas yuan las andas
10 *de las rramas de la oliua*

alli toda aquella gente
se comenco a lamentar
gimiendo tan tristemente
que me hizieron llorar
15 sin saber el azidente
despues de llantos tan fieros
ordenaron su partida
ponen las andas sin uida
en onbros de caballeros
20 *todos despada cenida*

y ansi comiencan su uia
yo por saber lo que fue
llegeme a la companja
y a [u]no dellos pregunte
25 quien era el que alli venja
aquestos llantos continos
por quien son quien va sin uida
en la tumba dolorida
debaxo va valdouinos
30 *con vna mortal erida*

y porque sepas mejor
aquesto que me preguntas
la cavsa deste dolor
y de sus miserias juntas
35 sabete que fue el amor
El arnes todo va rroto
ninguna parte tenja
ha do erida no avia
que le diera don carloto
40 *a trayzion y alebosia*

Despues desto nos callamos
porque oymos vn gemjdo
salir dentre aquellos ramos

a do yaze el dolorido
45 Valdouinos que llevamos
que con el dolor agudo
de las llagas que tenja
ya que su muerte sentia
alzo la boz como pudo
50 *desta manera dezia.*

Yo siento venir mi muerte
y el mayor dolor que siento
en tan desastrada suerte
que se acabe el pensamiento
55 que solia ser tan fuerte
mas por mis ruegos postreros
ya que mj fin me costrina
avn que esta yerva se tina
abaxesme caballeros
60 *en esta verde montina*

tina mj sangre este suelo
y pierda su color uerde
que lo que me era consuelo
si comjgo se me pierde
65 no se muestre por mi duelo
y tanbien con esta estansia
ya que mj muerte es venjda
con que se alarge la uida
darme an ayres de françia
70 *la mj tierra ennoblecida.*

y con este nuevo allento
de los aires do naçi
hare aqui mj testamento
y hos dire como mori
75 porque tomeis escarmiento
tu mi dios al alma abras
la puerta de su alegria
ya que lo demas dezia
[con las ultimas palabras]
80 *el alma se le salia.*

Lo primero que se advierte es que la glosa se refiere a un romance completo y no a un fragmento de él. Comparadas las dos versiones (ms. y 1551) parece mucho más lírica la ms. de sólo 16 versos, sin cambio forzado de rima, sin aparición de Sevilla. En cambio, figura el nombre clave de Carloto, que está incorporándolo al ciclo del marqués de Mantua.

A mi modo de ver, Esteban de Nájera conocía dos romances diferentes con rima -ía y los unió para formar uno solo, alterando el orden de los versos e intercalando los cinco dieciseisílabos en -ío. O también puede tratarse de una contaminación antigua, si es que tomó el texto de la tradición oral. De cualquier forma, en la redacción ms. resulta más popular y bello. He puesto en cursiva lo glosado y he añadido el v. 79, de mi invención, que no consta en el manuscrito.

La glosa no ofrece particular interés, y con el aumento de exclamaciones y el testamento de Baldovinos sólo contribuye a hacer pesado un texto realmente primoroso por su pura y emocionada gracia lírica.

II. UN CENTÓN DE DIEGO SÁNCHEZ

Los romances eran tan conocidos en los siglos XVI y XVII, estaban tan fielmente en la memoria de todos, que bastaban uno o dos versos para que el lector o el auditorio captase de qué se trataba. De ahí la enorme cantidad de alusiones en el teatro de los Siglos de Oro, en la prosa novelística —valga como ejemplo el *Quijote*— y en una serie de composiciones poéticas, generalmente de tipo burlesco, entretejidas de líneas del romancero. Estos «centones» o «ensaladas» son abundantes e inestudiados.

Wolf en 1849 dio a conocer uno de los más importantes, el que se conoce con el nombre de *Ensalada de Praga* [2] por habérsenos conservado en un pliego suelto poético de la Bi-

2. *Über eine Sammlung...*, p. 17.

blioteca universitaria de aquella ciudad. Menéndez Pidal, en el pasaje que consagra a este tipo de composiciones en su *Romancero hispánico*,[3] cita además:

a) Doce décimas satíricas, concluyendo cada una con dos versos de romance, escritas en 1578. Las halló en un ms. de la Biblioteca de Palacio (2-F-4), y permanecen inéditas.

b) Diecinueve quintillas con catorce citas de romances, escritas en 1579. También en un ms. de la Biblioteca de Palacio, las publicó en 1914.[4]

c) Una anónima *Vida del estudiante pobre* impresa en 1593. Pidal señala la edición aparecida en la *Revista de Archivos* en 1904, sin expresar que la hizo Bonilla San Martín; asimismo silencia la que había hecho en la *Revue Hispanique* dos años antes R. Foulché-Delbosc. Hay otro pliego de 1600 que he estudiado.

d) Alonso López, *Glosa peregrina*, pliego suelto gótico de la Biblioteca Nacional de Madrid, citado por Menéndez Pidal en la p. 179.

Parva es la cosecha y no refleja en absoluto la información amplia y objetiva debida al lector. Dejando para otra ocasión el imprescindible estudio bibliográfico, apuntaré aquí solamente tres centones impresos no mencionados por Pidal: el de Gabriel Sarabia, aparecido en pliego suelto y recogido más tarde en la *Secunda parte del Cancionero general* (Zaragoza, 1552); las *Nuevas guerras en muy graciosos disparates* de Joaquín Romero de Cepeda, que apareció en sus *Obras* (Sevilla, 1582) y que han sido diligentemente reimpresas en 1915 por Foulché-Delbosc (*RHi*, XXXIII, p. 419) y estudiadas por mi querido amigo el profesor S. Griswold Morley hace casi cuarenta años;[5] y el de Diego Sánchez que motiva estas líneas.

Diego Sánchez, clérigo talaverano, muerto antes de 1552,

3. *Romancero hispánico*, II, pp. 95-98. Como los índices de este libro son disparatados, no puedo asegurar que no haya más citas desperdigadas. Cf. la nota de p. 453: «índice abreviado» (!).

4. *BRAE*, I (1914), p. 50.

5. *RBAM*, I (1924), pp. 349-361.

autor de una obra teatral extensa, no vio publicado en vida el volumen que la contiene: la *Recopilación en metro,* que salió en Sevilla el año 1554. Entre las varias poesías que allí se recogen, figura una con el título de «Coplas de la sarna, glosando romances antiguos», que es la que ahora interesa por ser un centón muy viejo que me parece no haber sido tomado en cuenta o examinado hasta ahora. He aquí la lista de los veinte pies que incluye:

Padre santo padre santo señor humillome a ti.
Dolor del tiempo perdido memoria del bien pasado.
Los griegos entran en troya todos entran desarmados.
Muy nublado estaba el cielo llover quiere el criador.
5 Triste estaba y muy penosa aquella reyna troyana.
Castellanos y leoneses tienen grandes diuisiones.
Mis bienes se van perdiendo mis males se van hallando.
Rio verde rio verde mas negro vas que la tinta.
Por aquellas peñas pardas romeros van caminando.
10 A la mia gran pena forte dolorosa aflita rea.
Mira Nero de tarpeya a rroma como se ardia.
En manzilla biuo rey en la qual murio mi madre.
Yo me estando en tordesillas por mi plazer y folgar.
Media noche era por hilo los gallos quieren cantar.
15 Paseando se anda el conde por vna sala de largo.
O muy alto dios de amor por quien yo biuo penado.
Helo helo por do asoma ese buen dardin de ardeña.
Por las alpes y altas sierras con nieue pasa borbon.
Dezid dezid pensamiento donde mis sospiros van.
20 Rey don Sancho rey don Sancho no digas que no te auiso.

III.   «¿CONOCISTEIS LOS ROSALES...?»

Al ocuparse Menéndez Pidal de los primitivos romances noticieros de carácter privado, asegura que

la falta de interés público condenaba estos romances a una escasa popularidad; no se hacían tradicionales, así que sólo por acaso se recogía de ellos algún verso, como el *¿Conocistes los Rosales, gente rica y principal?*, «coplas antiguas» que el P. Sota dice se cantaban vulgarmente en la Montaña de Santander.[6]

El padre Sota dice eso refiriéndose al solar de la familia Rosales. Pero de ahí a que se trate de un romance del siglo xv como expresa Pidal al emparejarlo con otro de 1481, media un abismo. Sota podía calificar en 1681 de «coplas antiguas» a dos versos un siglo anteriores a la época en la cual él escribía, pero nada más puede desprenderse, en buena crítica, de su dicho.

Ni se trata de un romance primitivo noticiero de carácter privado, ni es del siglo xv, ni está perdido el texto, puesto que hay multitud de ediciones de él. Es nada menos que la conocidísima composición en quintillas, atribuida unas veces a Mateo Sánchez de la Cruz y otras a Mateo Brizuela, que se conoce con el título de «La renegada de Valladolid». E. M. Wilson registra veintiséis ediciones entre 1586 y 1862,[7] a las cuales pueden añadirse algunas reseñadas por Alonso Cortés,[8] y media docena que yo posco: la más antigua, de Barcelona, 1590, y la más moderna, de Valencia, 1822, entre las fechadas; las tengo también de hacia 1900, madrileñas.

Los versos se hallan en el diálogo entre la renegada y su hermano, y encajan en estas quintillas:

> ¿Conoces a los Rosales
> gente rica y principal?
> Dixo: ya doblas mis males,
> essos son tios carnales
> y no saben de mi mal.

> La renegada que vio
> las buenas señas que daua
> a su hermano conocio,

6. *Romancero hispánico*, II, p. 54.
7. «Samuel Pepys's Spanish chap-books», II parte, p. 237 (cf. la referencia completa de este trabajo en la nota 1 de p. 256).
8. *Miscelánea Vallisoletana*, II, 167-173.

aunque lo dissimulo
el coraçon le lloraua [...].

En el texto de la composición se señala el día víspera de san Mateo de 1579 para el reconocimiento de los hermanos: como la más antigua edición que poseemos es de 1586, habrá que fecharla entre ambos años. Está, pues, bien claro que no hay tal siglo XV ni tal romance ni tal pérdida. Y, precisamente, el dicho del padre Sota está demostrando claramente que en su tiempo, un siglo después de escrita «La renegada», se hallaba tradicionalizada entre los montañeses.

IV. EL PRIMER ROMANCE DE GERMANÍA

Está fuera de dudas que la primera edición de los *Romances de germanía* recopilados por Juan Hidalgo y publicados en Barcelona en 1609, no es la más antigua conocida hoy. Ya en 1945 el diligente erudito John M. Hill[9] exhumó un texto de Ximénez Patón en su *Elocuencia española* (1604) que hace referencia a un libro de iguales características —«romances» y «vocabulario»— existente antes de aquella fecha.

Dos partes perfectamente delimitadas hay en el volumen de Hidalgo: la primera comprende los cinco romances con que se inicia el libro; la segunda, los seis siguientes y el «Vocabulario». El texto «Ya los boticarios suenan...» que va al final me parece una adición hecha en 1609 para completar pliego: la alusión a Lope y Liñán, clarísima

Esta esperando a su Feliz
en el margen de una fuente,
no Riselo ni Velardo
sino Benito Ximenez,

no deja dudas sobre ello. Además, aunque trata de gentes del

9. *Poesías germanescas*, p. VII.

hampa, no está escrito en lenguaje de germanía y, por otra parte, es puramente burlesco.

Los seis romances y el vocabulario, según dice Hidalgo, son del mismo autor, y debieron primitivamente constituir una entidad bibliográfica aislada, ya que el primero «Al dios Marte» es una introducción de los otros, de los cuales narra someramente el contenido. Este grupo debió de ser poco posterior a 1570, pues el «Testamento» de Maladros lleva esa fecha:

> [...] en la enfermeria
> de Seuilla en esta trena:
> a veynte y siete de mayo
> de quinientos y setenta [...].

Los cinco textos de la primera parte tienen una unidad estilística y verbal tan absoluta que me parece muy difícil que sean obra de varios autores, y creo que pueden adscribirse a una sola pluma. No parece que nadie se haya atrevido a fecharlos y darles autor, limitándose cuantos se han ocupado de ellos a referirse a lo dicho por Juan Hidalgo respecto al de «Perotudo»: «Este romance es el primero que se compuso en esta lengua, y aduierta el Letor que se llama Bayle, porque trata del Ladron que ahorcaron». Sí, pero ¿cuando se compuso?

Que circulaba mucho antes de 1609 lo atestigua una pieza musical de Mateo Flecha publicada en sus *Ensaladas* (Praga, 1581) con el título de *El jubilate,* que es apenas una parodia a lo divino de los cuatro primeros versos, intercalada en un centón de diferentísimas piezas muy populares y conocidas. He aquí el fragmento que nos interesa:

> Mejor le fuera mal año
> al tacaño
> y aun a quantos con el son,
> de la ro ro ro ro ron,
> que es un vellaco ladron,
> de la ro ro ro ro ron.
> En la ciudad de la Gloria

do los serafines son,
en medio de todos ellos,
de la ro ro ro ro ron
cayo un picaro baylon
de la ro ro ro ro ron [...].

Consérvanse dos mss. del siglo XVI —letra y música— sin alteración mayor del texto.[10] Como Mateo Flecha falleció antes de 1557, lógicamente hay que retrotraer en un cuarto de siglo la popularidad del romance, la cual está acreditada, por otra parte, con la inserción que del *Jubilate* hace Miguel de Fuen-llana en su *Orphenica lyra* (Sevilla, 1554).

Por cierto que aquí aparece una estrofa más a continuación de las que he copiado:

Cardador era de percha
de sobaco aliviador
huye de la gurullada
en Castilla el vanaston
de la ran ron.

Reconstituidos los fragmentos, dan estos versos:

En la ciudad de la Gloria
do los serafines son
en medio de todos ellos
cayo un picaro baylon;
cardador era de percha,
de sobaco aliviador
huye de la gurullada
en Castilla el vanaston [...].

Y todavía vamos a retrasar la época de composición del «Perotudo» con sólo examinar una obra teatral del siglo XVI, la *Comedia vidriana* compuesta por Jerónimo de Guete. Co-

10. Para detalles técnicos, véase la reimpresión de *Las ensaladas* hecha por Anglés en Barcelona, 1955.

nozco dos ediciones, ambas góticas y sin fecha: una en la
Biblioteca Nacional de Madrid (R-5009), reimpresa por Urban
Cronan,[11] y otra en la de Lisboa (Rés. 218V), que fechan los
bibliógrafos entre 1525 y 1528. Hay en ella un reflejo del
romance en cierta canción que canta uno de los personajes, en
la cual se deslizan los dos primeros versos de él. Hela aquí:

> *En la ciudad de Toledo*
> retorcido el bigaton
> pixase de barua luenga
> anegada en villalon
> de la ron ron ron ron ron
> doze mil piojos tiene
> todos granos de oro son
> atorgados por el papa
> *donde flor de bayles son*
> de la ron ron ron ron ron.
> y hallaron al aguazil
> turradico cara el sol
> y ellos en aquesto estando
> sagodiosle vn bofeton
> de la ron ron ron ron ron.

Estamos, pues, hacia 1525. Y quizá antes de esa fecha pueda todavía señalarse un texto y un autor al romance. En efecto,
en el *Abecedarium* de la biblioteca de don Fernando Colón
figura un asiento, con el número 12369 y bajo el nombre de
Salvador Rodríguez, que dice así: «Arenga llamada la ron en
coplas». Ya se ha visto la presencia del estribillo *la ron ron ron
ron ron* tanto en la *Comedia vidriana* como en el *Jubilate* de
Mateo Flecha, pero lo que asegura la identidad de la obra son
los dos versos iniciales, que copia el *Abecedarium* y que dicen
así:

> En la ciudad de Toledo
> donde flor de bayles son.

11. *Teatro español del siglo XVI*, I, pp. 171-265.

Creo que probablemente en el pliego de Salvador Rodríguez está la primera versión del «Perotudo»: un caso más de pervivencia de textos literarios, eminentemente populares, a través de los siglos. Quizá este folleto sea el que comprende los primeros cinco romances del librito de Juan Hidalgo. El arranque, pues, de los romances de germanía habrá que situarlo a comienzos del siglo xvi, y su recolección impresa será contemporánea de los pliegos de Rodrigo de Reinosa y del anónimo *Gracioso razonamiento*. Para la formación del Hidalgo, no se olvide que el cuarto romance de los que incluye («De Toledo sale el Iaque») figura también en la *Rosa de amores* de Timoneda (Valencia, 1573), que fue recolector y reelaborador infatigable de muchos textos anteriores.

V. Un romance de la pérdida de Antequera

López Estrada ha estudiado, en trabajos que son modelo de investigaciones, los romances de tema antequerano: primero en *La conquista de Antequera en el romancero y en la épica de los Siglos de Oro* (Sevilla, 1956) y más tarde en el primoroso opúsculo sobre la leyenda de la morica garrida (Sevilla, 1958). La colecta de textos ha sido realmente exhaustiva, y los comentarios críticos, admirables.

No es posible, dado el actual estado de nuestros conocimientos de bibliografía española, agotar las fuentes, y por ello no es raro que, donde menos se piensa, surjan textos complementarios o nuevos. Me parece interesante imprimir hoy aquí un romance que figura en el cancionero ms. a que me referí en la primera de estas notas, y que dice así:

> En granada esta el Rei moro
> que no osaua salir fuera
> de las tores del halanbra
> mjrando estaua la uega
> 5 con lagrimas de sus ojos
> estas palabras dixera

O antequera billa mja
o quien nunca te perdiera
ganarente los xρianos
10 de cobrarte no sespera
Estas palabras diziendo
asomara por la vega
vn caballero xρiano
la lança trai sangrienta
15 y en el su lado disquie[r]do
trae vna + bermexa
quien es aquel caballero
la lança trae sangrienta
El maestre era senor
20 senor el maestre era.

Como puede verse, los primeros versos coinciden, salvo ligeras diferencias, con los del texto publicado en la *Rosa de amores* de Timoneda (Valencia, 1573), pero luego cambia por completo el tema. Ahí queda impreso para que López Estrada, con su pericia habitual, pueda establecer la relación y las conclusiones, ya que es él quien ha estudiado con tanta precisión este ciclo.

TRES ROMANCES DE LA «ENSALADA» DE PRAGA (SIGLO XVI)

1. Cuando el conde don Julián pasó de la Berbería

Mucho hay que hacer todavía en cuanto se refiere a la recolección de textos romanceriles, pues, si bien se han explorado a fondo multitud de fuentes vivas de la tradición oral, no ha sucedido así con respecto a bibliotecas: bibliográficamente, poco hemos avanzado desde los tiempos de Durán o de Salvá. No creemos aventurar mucho si aseguramos que aún han de reservarnos sorpresas importantes los impresos y manuscritos que están por desempolvar.

Como prueba de lo que todavía está guardado, vamos a exhumar hoy unas notas sobre romances viejos cuyos textos fueron mencionados en el siglo XVI, pero que, por no hallarse en los pliegos sueltos conservados, ni en el *Cancionero de Amberes*, s.a., o la *Silva* de Zaragoza, figuran en la lista de lo que se considera perdido.

Con el nombre de *Ensalada de Praga* se conoce una composición poética burlesca existente en uno de los cancionerillos góticos españoles de la Universidad de Praga, el que lleva el número 1 de la colección. Titulada *Ensalada de muchos romances viejos y cantarcillos,* consta de trece estancias con varias cuartetas, cada una de las cuales comienza con dos versos de un romance viejo.

Quiso el poeta empezar por estancia de dos estrofas para llegar hasta la de ocho y bajar luego, progresivamente, hasta la de dos, embutiendo en ellas otros tantos comienzos de romances, pero el impresor hizo perder el orden al trastrocar las estancias 7-8, y el propio autor puso tres en vez de dos, en la 13.

Descubierto y publicado parcialmente el plieguecillo de Praga por Wolf,[1] en 1850, este insigne crítico señaló quince textos que no había logrado identificar:

Qué me distes Moriana   qué me distes en el vino.
Cuando el Conde don Julián   pasó de la Berbería.
Yo me estando en un vergel   cogiendo rosas y flores.
En Castilla no había rey   ni menos gobernador.
A caza va el rey don Bueso   por los montes a correr.
Por el juego de los dados   siempre se revuelve mal.
Moricos de Colomera   con los moros de Granada.
Pregonadas en las cortes   en los reynos comarcanos.
Alégrate gran Sevilla   flor de todas las ciudades.
La mujer de Arnaldos   cuando en misa entró.
Ya se sale Melisenda   de los baños de bañar.
A las armas moriscote   si las has en voluntad.
Dígasme tú el ruiseñor   que haces la triste vida.
En Valencia está el buen Cid   en esa Iglesia Mayor.
Cantaban las aves mi mal   por desierto y poblado.

Menéndez y Pelayo, en sus estudios complementarios a la *Primavera y flor* de Wolf-Hofmann,[2] identificó seis versos del romance «A las armas, moriscote», tomándolos del *Libro de música para vihuela* compuesto por Miguel de Fuenllana (1564), y dio a conocer una hechura a lo divino, según pliego gótico que poseía el duque de T'Serclaes de Tilly, quedando catorce que resistieron a su búsqueda. Menéndez Pidal, años adelante, logró, en presencia de otras fuentes, completar algo más el «Moriscote» (hasta ofrecernos una posible fecha de composición), y el de «Moriana».[3]

Recientemente, en su prólogo a los *Pliegos de Praga*,[4] nos

1. F. Wolf, *Ueber eine Sammlung spanischer Romanzen in fliegenden Blättern auf der Universitäts-Bibliothek zu Prag*, Viena, 1850, pp. 17-22.
2. M. Menéndez y Pelayo, *Antología de poetas líricos castellanos*, Madrid, 1899, t. IX, pp. 211-212.
3. R. Menéndez Pidal, *Romancero hispánico*, Madrid, 1953, t. II, pp. 55-57; t. I, p. 133; t. II, p. 411.
4. *Pliegos poéticos españoles en la Universidad de Praga*, Madrid, 1960, Prólogo, pp. 17-18.

señala otra identificación más, hecha sobre versiones tradicionales sefardíes, recogidas por sus colaboradores: «La mujer de Arnaldos».

Pero existen algunos que Menéndez Pidal bien hubiera querido alcanzar y que ha tenido que renunciar a ellos porque ni constan en textos impresos por él conocidos, ni en la tradición oral. Muestra es el segundo de la *Ensalada*. En su *Romancero tradicional*,[5] ocupándose del ciclo del rey Rodrigo, clasifica entre los eruditos el que comienza:

> Cuando el conde don Julián
> passó de la Bervería,

poniendo esta desesperanzada nota: «no conocemos ninguna versión de este romance, sólo se conserva un verso en la *Ensalada de Praga*».

Sin embargo, el texto al cual pertenecen estaba de molde desde el siglo XVI. En efecto, en un pliego suelto de la Biblioteca Nacional de París, titulado *Testamento de la reyna doña / Ysabel nueuamente trobado por / Jeronimo del enzina*,[6] impreso sin indicaciones tipográficas, pero con toda seguridad en Sevilla, por Jacobo Cromberger, entre 1511 y 1515, figura, a continuación del título, este malísimo romance:

> Despúes quel rey don rodrigo   perdio a españa que tenia
> quando el conde julian   passo de la beruería
> Entonces amanecio   infinita moreria
> Que en el mundo no se halla   ni por memoria se dezia
> Nueuas de tanto dolor   que toda españa cobria
> Año de mill ᵹ quinientos   mas de quatro se dezia
> En la villa de medina   que del campo se dezia
> Cercada de sus criados   los que ella mas queria
> Vino la muerte a llamarla   tales palabras dezia

---

5. R. Menéndez Pidal, *Romancero tradicional*, Madrid, 1957, t. I, p. 105.
6. Procede de la colección de De Bure, adquirido quizá en 1833.

Sepas tu reyna de españa   que nuestro señor me embia
Que te partiesses tu sola   sola en mi compañia
Y que dexes tus reynados   y toda la tu señoria
Que ya es hora de dar cuenta   al rey de la alta silla
Que es rey sobre los reyes   lumbre de la monarchia
Respondio la reyna llorando   estas palabras dezia
O muerte que a todos lleuas   soy contenta de seguirte
Dexame fablar al rey   las cosas que mas queria
Que si yo no lo consuelo   yo temo que moriria
En llegando alli el buen rey   dixole esperança mia
Es la voluntad de dios   que partamos compañia
Muestre muy gran esfuerço   la su real señoria
Que a las fortunas el varon   para esto el nascia
Alli fablara la reyna   bien oyreys lo que dezia
Pues mis fijas son casadas   mi alma lleua alegria
Mis criados ⁊ criadas   ayan por memoria mia
A mi hija doña juana   que princesa se dezia
Dexola reyna ⁊ heredera   de la casa de castilla
Y el sea gouernador   mientras ella no seria
De castilla ⁊ de leon   galizia y el andaluzia
E dexole tres maestrazgos   que su alteza los merecia
Calatraua ⁊ santiago   alcantara en compañia
Y que no me embaraceys   de merced se lo pedia
Que dexeys las tierras llanas   pues de tierra soy salida
Essa ciudad que ganamos   que granada se dezia
Ay se lieue mi cuerpo   pues yo assi lo queria
No traygan luto por mi   pues la pompa no queria
La conqista de jerusalen   y el soldan ⁊ la turquia
A la casa de aragon   pues que le pertenecia
La conquista de granada   a la casa de castilla
Lo que la boca puede dezir   la mano lo escriuia
El buen rey que estaua delante   aquestas palabras oya
Empeçara de hablar   el llanto que se siguia
ques de ti la gran leona   adonde te hallaria
Que hare yo triste rey   que vida sera la mia
Que yo pierdo todo mi bien   ⁊ quantos reynos tenia
Cada vno en su estado   al rey consolar queria

He aquí un romance perfectamente fechable en 1504 y que
debió de alcanzar grandísima popularidad. Como ha podido

apreciarse, el supuesto romance erudito del ciclo del rey don Rodrigo desaparece: se trata sólo de dos octosílabos que andaban en boca y en memoria de todos.

2.   CANTABAN LAS AVES MI MAL POR DESIERTO Y POBLADO

Otra de las piezas inidentificadas como impresas es la que comienza «Canten las aves mi mal...». También podemos asegurar que se estampó en la primera mitad del siglo xvi, puesto que en el *Abecedarium* de don Fernando Colón,[7] redactado antes de 1540, figura la nota siguiente: «Francisci de Armentia. Glosa en coplas sobre el romance de Yanguas que comienza Canten las aves mi mal». 12212. Probablemente Yanguas será el conocido Hernán López de Yanguas, que nació en 1487 y de quien hay impresa obra al menos desde 1521.

3.   EN CASTILLA NO HABÍA REY NI MENOS GOBERNADOR

Un tercer romance ha resistido hasta aquí a las investigaciones de Menéndez Pelayo y Menéndez Pidal: el que comienza «En Castilla no había rey...». Suponemos, sin poder afirmarlo, que se imprimió; lo seguro es que vivió en la tradición oral en el siglo xvi, pues en el cartapacio de un músico toledano de hacia 1575,[8] se nos ha conservado una versión que parece recogida de la boca del pueblo, sin los arrequives y perfecciones que nos brindan muchas veces los textos estampados.

Vamos a hacer una transcripción exacta del ms. en una columna, y en la otra el texto corregido, según nuestro entender:

---

7. Manuscrito inédito en la Biblioteca Colombina, Sevilla.
8. Publicaremos en breve su descripción y algunos textos muy importantes; se halla en una biblioteca pública extranjera.

Ē castilla no avie Rei
ni menos enperador
sino vn infante nino
y de poco balor
andavanlo por hurtar
cavalleros de aragon
hurtado le a vn carbonero
de los q̄ hacen carbon
no le muestra a cortar
lena ni menos açer carbon
muestrale a jugar las canas
y muetrale justador
tan bien le muetra a jugar
los dados y las tablas muy mejor
Vamonos dize mi ayo
a mis tieRas de aragon
a mj me alçaran por Rei
y a vos por gouernador

[En Castilla no había rey
ni menos gobernador
sino un infante pequeño
niño de poco valor.
Andábanlo por hurtar
caballeros de Aragón,
hurtado le ha un carbonero
de los que hacen carbón;
no le muestra a cortar leña
ni menos a hacer carbón,
muéstrale a jugar las cañas
y muéstrale a justador,
también a jugar los dados
y las tablas muy mejor.
—Vámonos, dice, mi ayo,
a mis tierras de Aragón;
a mí me alzarán por rey
y a vos por Gobernador!]

Evidentemente, el relato se refiere a una alborotada minoridad durante la cual el infante heredero es sustraído a las apetencias de bandos encontrados y oculto en las espesuras de la montaña, donde le alecciona y adoctrina un falso carbonero, quien no le enseña los quehaceres propios de su oficio, sino lo propio de un caballero: justar, jugar a las cañas, a los dados, al ajedrez. Cuando llega el momento, es el infante el que impulsa a su ayo, en la seguridad de que les alzarán por rey y gobernador, respectivamente.

Tiene todas las características de un romance viejo tradicional, y el hallarse en el cartapacio poético de un músico toledano del siglo XVI —Juan de Peraza—, nos hace suponer que se cantaría aun entonces. En su simplicidad esquemática, en la eliminación de todo lo narrativo y en la brusca interlocución del infante, que corta lo que pudiera ser relato, está fuertemente marcada su tradicionalidad, a la cual apoya la ligera irregularidad métrica.

¿A qué ciclo puede adscribirse el texto? Para nosotros no ofrece duda de que estamos en presencia de uno de los más antiguos romances del conde Fernán González. Menéndez Pidal, en su primoroso estudio a él consagrado,[9] no pudo hallar ninguno anterior al de la prisión en León, y sólo tres con la categoría de tradicionales: «Castellanos y leoneses», «Buen conde Fernán González» y «Por los palacios del rey».

El que hoy ofrecemos tiene levísimos antecedentes consignados en el *Poema* y en la *Crónica general* de 1344, que son los únicos textos antiguos que hacen referencia a la educación del conde por el fingido carbonero y a la salida de la montaña cuando cree llegado el momento de tomar puesto al frente de sus partidarios. Exprésase así el *Poema*:

177   Enantes que entremos delante en la razon
dezir vos he del conde qual fue su criazon:
furto'l un pobreziello que labrava carbon,
tuvo'l en la montaña una grande sazon.

178   Quanto podia el amo ganar de su mester,
todo al buen criado dava muy volunter;
de qual linax venia fazia ge'l entender:
avia el moço quando lo oia muy grand plazer. [...]

181   Señor ya tiempo era de exir de cavañas. [...]

183   Salio de las montañas vino pora pobrado
con el su pobreziello que lo avia criado. [...] [10]

Y la *Crónica general* de 1344:

fue criado en la montaña e criolo vn cavallero bueno que era ya viejo de edad e non podia husar de armas como conplia. E el cavallero era muy sesudo e de muy buenas mañas; e asi como el era muy bueno, ansi mostro al conde don Fernan Gonçalez todo aquello que le conplia de fazer para onbre como el que despues fue. E quando lego a los diez e seys años, fue atan grande e atan valiente que aduro fallarian en

9. R. Hernández Pidal, «Notas para el Romancero del conde Fernán González», en *Homenaje a Menéndez y Pelayo*, Madrid, 1899, t. I, pp. 429-507.
10. R. Menéndez Pidal, *Reliquias de la poesía épica española*, Madrid, 1951, pp. 57-58.

toda la tierra onbre de su edad o de mayor que tan bien oviese cuerpo e mañas. [...] [11]

Quede, pues, un nuevo romance viejo del ciclo de Fernán González, del cual la inigualable competencia de Menéndez Pidal sabrá apurar el interés.

11. Ibid., p. 156.

NUEVA CRONOLOGÍA DE LOS ROMANCES SOBRE «LA ARAUCANA»

La primera vez que se escribe sobre la existencia de los romances de la *La Araucana,* se publican sus textos y se ponen en relación con el del poema es en 1918, cuando don José Toribio Medina dio a la estampa su edición de la obra de Ercilla [1] y, en un apéndice, se ocupó del tema.

Diole ocasión el hallazgo, en la biblioteca sevillana del marqués de Jerez de los Caballeros, de un volumen titulado *Ramillete de Flores,* colección de romances hecha por el librero Pedro de Flores e impresa en Lisboa en 1593, es decir, poco más de dos años después de que saliese a luz la *Tercera parte de La Araucana* (1589).

Los romances figuran al final del volumen, precedidos de una portadilla que dice así: «Nueve romances en que se contiene la tercera parte de la Araucana, excepto la entrada deste Reyno de Portugal que no se pone por ser tan notoria a todos».

Su relación con el poema no siempre es muy fiel y el anónimo autor a veces modifica, silencia o añade alguna pincelada de propia cosecha. En el primero se relata el desafío de Tucapel y Rengo (canto XXX), los segundo y tercero se ocupan del asalto de Caupolicán y traiciones del falso Andresillo, el cuarto narra el romántico episodio de la india Lauca, del cual se toma pie para la defensa de Dido contenida en los siguientes, así

1. Alonso de Ercilla y Zúñiga, *La Araucana,* edición del centenario, ilustrada con grabados, documentos, notas históricas y bibliográficas y una biografía del autor, ed. de José Toribio Medina, Imprenta Elzeviriana, Santiago de Chile, MCMXVIII, 5 vols. en gran folio. Véase especialmente el t. II de «Ilustraciones».

como en el par que continúa se cuenta la prisión y muerte de
Caupolicán, si bien silenciando el horrible suplicio. El noveno
y último resulta un complemento de la obra original: en el canto XXXIV de ella se corta la narración en el momento en que
Colocolo va a pronunciar su discurso en presencia de los restantes caciques antes de la elección del sucesor de Caupolicán,
tema que no desarrolla Ercilla, pero sí el romance, y a través
de él conocemos discurso y elección. Concluye el conjunto con
una octava real en loor de Lincoya, nuevo general de Arauco,
y cuatro pintando el violentísimo contraste entre la parte física
y la espiritual de Colocolo.

Nueve romances, pues, condensando la *Tercera parte*. Condensando y ampliando, como hemos visto. No sabemos si será
lícito avanzar alguna suposición antes de pasar más adelante,
pero hay que hacer notar que en ellos se advierte un interés
en que don Alonso de Ercilla tenga personalmente más inter-
vención de la que se concede él mismo en *La Araucana*. Así, en
el asalto a Cañete, existen dos interpolaciones relativas al autor
que merecen señalarse: en la primera, Reinoso «le da a una
puerta la estancia»; en la segunda, don Alonso sale a caballo
«con treinta de camarada» a atacar a los indios. El primer plano
de Ercilla está patente en los demás.

Muy raro es que quien ponía en romances para el pueblo
una obra más o menos histórica, en los Siglos de Oro, se per-
mitiese tales libertades y, con todas las reservas necesarias, nos
atrevemos a insinuar la idea de si el vulgarizador pudo conocer
un texto de la *Tercera parte* distinto del que ha llegado a
nuestros días, un manuscrito quizá, acaso borrador rechazado,
del cual el poeta eliminase, en una versión definitiva, algunas
de sus intervenciones, así como la elección de Lincoya y discurso de Colocolo. El problema de los textos de Ercilla va
resultando tan complicado que no importa embrollarlo un
poco más con la suposición.

Pero Medina, además de este grupo de 1593, descubrió
seis. En efecto, en el voluminoso *Romancero general* que se
publicó en Madrid el año 1604, dividido en trece partes, se

hallan cuatro de ellos en la primera y dos más en la sexta.[2] Limítase Medina a publicar los textos, indicando que cinco se basan en el canto XIII del poema, amores de Guacolda y Lautaro y muerte del caudillo, mientras el último narra el saqueo de Concepción tras la derrota de Villagra en Marigueñu, referido en el canto VI.

También aquí el anónimo autor añade episodios que no se encuentran en *La Araucana*: en el segundo, nada menos que el fin de Guacolda, prisionera del vencedor español y agasajada y honrada por él; en el quinto, la alusión de Lautaro al contento de Nerón mientras se incendiaba Roma, frase que, según Medina, «no puede pasar en boca de un indio», pero que encontramos perfectamente justa no sacándola del contexto, ya que en él Lautaro afirma no provenir de su cultura, sino que

> Yo oía a Valdivia
> cuando en su servicio estaba
> que así contemplaba Nero
> cuando Roma se abrasaba.

Hasta aquí los hallazgos del bibliógrafo chileno; quince romances sacados de *La Araucana,* de los cuales nueve se imprimen en 1593 y los seis restantes en 1604, es decir, cuatro y quince años respectivamente después de salir a la luz pública la última parte del poema. Su trabajo fue reimpreso sin alteración alguna en un opúsculo independiente [3] que ha sido, hasta ahora, la fuente de los que han venido después.

En 1948, José María de Cossío redactó su ensayo «Romances sobre *La Araucana*», que había de imprimirse en 1954 en el *Homenaje a Menéndez Pidal.*[4] Manejando la edición de Medina,

2. J. T. Medina, *op. cit.* en n. 1, examina la edición de 1604.

3. J. T. Medina, *Los romances basados en «La Araucana» con su texto y anotaciones y un estudio de los que se conocen sobre la América del Sur anteriores a la publicación de la primera parte de aquel poema,* Imprenta Elzeviriana, Santiago de Chile, 1918, 8.º, LXXVI-52 pp. El texto en cifras árabes recoge el estudio sobre los romances de *La Araucana*.

4. José María de Cossío, «Romances sobre *La Araucana*», en *Estudios dedicados a Menéndez Pidal,* t. V, Madrid, 1954, pp. 201-229. Lo único que

limitóse Cossío a ampliar las comparaciones que aquél había hecho entre los romances y el poema, pero sin añadir dato nuevo alguno.

La aparición de nuestra obra *Las fuentes del «Romancero general» de 1600* [5] le da ocasión para volver sobre el tema en brevísima nota titulada «Un nuevo romance sobre *La Araucana*».[6] Habiendo ya podido manejar el *Ramillete* de Flores, advierte que «en la última [hoja], antes del apéndice de los nueve romances de la *Araucana,* se encuentra otro romance, también fundado en el poema de Ercilla, que no pudo conocer Medina porque, por rara coincidencia, no pasó al *Romancero general*».

Conviene observar aquí que el que no pasase al *Romancero general* no era razón para que no conociera Medina el texto: precisamente, ninguno de los nueve que extrae del *Ramillete* había sido volcado en el *Romancero*. Don José Toribio, infortunadamente, no revisó todas las páginas del libro de Flores: de haberlo hecho, hubiera encontrado algunas sorpresas interesantes, a las que aludiremos enseguida, e igual le hubiera ocurrido a Cossío.

Después de 1960 no conocemos ningún otro estudio sobre el tema; alusiones de pasada, como la de Frank Pierce,[7] a que Medina, en su edición, «informa puntualmente de la pervivencia de los héroes ercillescos en otros poemas épicos, en el romancero, el teatro, etc.», pero nada más. Quedan, pues, firmes

---

podría ser nuevo, desde el punto de vista bibliográfico, es su afirmación de que de los seis romances que figuran en el *Romancero general* hay «cuatro en la parte primera, es decir, en la *Flor de varios romances,* recopilada por Andrés de Villalta, con anterioridad a 1589, que vino a integrar tal parte. Los otros dos en la parte sexta, que la forma el *Ramillete* citado de Lisboa [...]». Pero ni Andrés de Villalta redactó ninguna *Flor* con anterioridad a 1589, ni el *Ramillete* forma la parte sexta del *Romancero general.*

5. *Las fuentes del «Romancero general» de 1600,* 12 vols., RAE, Madrid, 1957, 8.°.

6. José María de Cossío, «Notas a romances», *StP,* Madrid, I (1960), pp. 413-429. «Un nuevo romance sobre *La Araucana*» en pp. 427-429.

7. Frank Pierce, *La poesía épica del Siglo de Oro,* 2.ª ed. revisada y aumentada, Editorial Gredos, Madrid, 1968, 8.°, 396 pp.

los quince romances exhumados por Medina y el estampado por Cossío: dieciséis en total.

Advirtamos desde ahora que nosotros no hemos podido añadir ni un solo texto a los que nos eran conocidos. Pero un examen detenido de éstos y de sus circunstancias bibliográficas nos va a permitir la deducción de algunas conclusiones, seguras unas porque están atestiguadas con libros impresos, menos firmes otras pero con visos grandes de probabilidad.

Empecemos por el *Romancero general* de 1604, del cual extrajo Medina seis romances. Ya indicamos que cuatro proceden de la primera de las trece partes en que se divide el volumen y dos de la sexta. Pero la de 1604 ¿es la edición más antigua de la extensa compilación? No. Previamente había salido otra en Medina del Campo en 1602 con nueve partes y aun ésta no hizo sino reproducir la primera realizada en Madrid en 1600. Ese grupo de seis romances hay, pues, que fecharlo por lo menos cinco años antes de la data que viene siendo aceptada como normal, puesto que en los fols. 19, 20 y 208 de la edición de 1600 se encuentran uno tras otro.

¿Cómo se formó este inmenso almacén literario?

Iniciada la difusión del romancero nuevo con los pliegos sueltos, perecederos en su exiguo volumen, afianzada la conservación en los librillos de faltriquera titulados *Flor de romances* y numerados por partes correlativas, la salida de este enorme compendio marcaba una etapa de fijeza textual: de 1600 en adelante se buscará el *Romancero general* para conocer en su integridad este importante movimiento poético que arrastra a los más logrados de nuestros ingenios, desde Cervantes a Liñán y desde Lope a Góngora.

Durante muchísimos años cayeron en el olvido los precedentes y era lógico que los estudiosos de la literatura acudieran al volumen como fuente de sus tareas. Reimpreso en 1602 y aumentado considerablemente en 1604, quedan fijos, cuajados para la generalidad desde entonces el mapa romancístico y los textos.

Algunos bibliófilos y bibliógrafos buscan, sin embargo, tales reliquias y guardan las que el tiempo logró salvar. Los pocos ejemplares hoy conocidos de estas nueve partes son casi los mismos que se señalan en la primera mitad del siglo xix y que sabemos en posesión de Durán, Gallardo, Böhl, Ticknor, etc., o en las bibliotecas de Londres, Madrid y Viena. Anotemos que siempre se estima en ellos más la rareza que el valor o el interés que puedan tener desde el punto de vista literario.

Las minuciosas tareas emprendidas con éxito por los estudiosos del romancero viejo averiguando, desde Wolf hasta Menéndez Pidal, la pureza textual del *Cancionero de Romances* y la *Silva,* y buscando en pliegos sueltos el origen de estas compilaciones y las diferencias y variantes, no han sido acometidas en conjunto para discriminar las fuentes y precedentes del *Romancero general*: se ha dado por buena la afirmación de la portada.

Sería inútil reproducir aquí la serie de cábalas y suposiciones hechas a lo largo del siglo xix para explicar este paso de las *Flores* al *Romancero general*; baste indicar que la mayoría de los bibliógrafos apenas vieron tres o cuatro tomitos en ediciones varias y sobre ellos construyeron su teoría. El más profundo conocedor del tema, don Agustín Durán,[8] sólo alcanzó a utilizar TRES: una fragmentaria, otra cuya fecha adelanta en dos años (1591 por 1593) y otra de las partes cuarta y quinta impresa en 1592.

Don Ramón Menéndez Pidal, en su *Romancero Hispánico*,[9] avisadamente reconoce que «la bibliografía de estas *Flores* es de lo más enmarañado que puede darse». Efectivamente, si tenemos en cuenta que de la mayor parte de ellas sólo se conserva un ejemplar y éste fuera de España, se comprenderá lo difícil, para un investigador de hace años, que era verlas todas. Nosotros hemos localizado veintidós ediciones diversas con un total de veintinueve ejemplares distribuidos así: ocho en la Hispanic Society, cuatro en el British Museum, tres en la Bos-

---

8. *Romancero general,* edición estereotípica de la BAE, t. II, p. 684.
9. R. Menéndez Pidal, *Romancero hispánico,* II, Madrid, 1953, p. 158.

ton Public Library, tres en la BNM, dos en la Biblioteca de la
Universidad de Leyden, dos en la Österreich Nationalbibliothek
de Viena, dos en la Menéndez y Pelayo de Santander, uno en
la Nacional de Lisboa, uno en la Universitaria de Génova, uno
en la Ambrosiana de Milán y dos en la del autor de estas
líneas.[10]

Ello nos va a permitir precisamente la cronología de estos
romances derivados de *La Araucana*. Y comenzando por el fin,
hallaremos que los dos textos que figuran en la sexta parte del
Romancero de 1600 (que Medina y Cossío fechaban en 1604)
van a experimentar un retraso considerable: en 1597 aparece
en Alcalá una edición suelta de la *Sexta parte* y en sus fols. 190-
191 se hallan

> Con vn lucido esquadron
> y Vfano con mil victorias.

Pero de esta *Sexta parte* hay también otras ediciones que los
contienen y que los van llevando cada vez más hacia atrás; así
las vemos aparecer en Alcalá, 1595, y Toledo, 1594; ya estamos a once años de distancia de las fechas admitidas como
normales. Hay más aún y más curioso, desde el punto de vista
bibliográfico: ambos romances figuran asimismo en el *Ramillete*
de Flores de Lisboa, 1593, utilizado por Medina y Cossío sin
que estos eruditos lo repasaran en su totalidad, pues de haberlo
hecho no se les hubiera escapado la existencia de ellos.

Detengámonos aquí para estos dos romances y consignemos
que la fecha de 1604 se nos viene abajo para ser sustituida pro-
visionalmente por la de 1593, es decir, mucho más cercana,
mucho más contemporánea a la en que aparece el poema
de Ercilla.

Volvamos ahora la vista a los cuatro restantes del *Romancero* de 1604 exhumados por Medina: «Durmiendo estaba

---

10. No describimos estas partes de la *Flor* porque las fundamentales pueden
verse reimpresas en facsímile en *Las fuentes del «Romancero general»* de 1600.

Lautaro», «Con el gallardo Lautaro», «Por los cristalinos ojos» y «El cabello de oro puro».

Siguiendo los datos ya mencionados, pasamos del primer impulso a 1600, pero sin pararnos ahí, porque hay ediciones de la *Primera, Segunda* y *Tercera parte* que los llevan en su seno: así la de Viuda de Pedro Madrigal, Madrid, 1597; Casa de Juan Gracián, Alcalá, 1595; Viuda de Madrigal, Madrid, 1595; Pedro Gómez de Aragón, Madrid, 1593; Miguel Prados, Valencia, 1593; Manuel de Lira, Lisboa, 1592; Jaime Cendrat, Barcelona, 1591.

Hemos retrocedido catorce años a partir de la fecha dada por buena, pero este marco cronológico ha de ampliarse por lo menos para un romance: el que empieza «Por los cristalinos ojos...» aparece en la *Flor de varios romances nuevos y canciones,* recopilada por un desconocido Pedro de Moncayo e impresa en casa de Juan Pérez de Valdivieso, Huesca, 1589, justamente el mismo año en que se estampa por primera vez la *Tercera parte de la Araucana.*

¿De dónde se tomaron los romances que nutrieron estas partes sueltas de la *Flor?* Indudablemente tienen una doble procedencia: fuentes manuscritas y pliegos sueltos. Ni de una ni de otra podemos atestiguar con ejemplares a la vista, puesto que el único pliego que nos queda es casi seguro que proceda de una de las partes, el que aparece en Valencia, 1601, conservado hoy en Munich,[11] que desde su portada anuncia contener «Quatro Romances de Lautaro y Guacolda», precisamente los cuatro primeros que figuran en el *Romancero* de 1600.

No puede caber duda de que Pedro de Flores en 1593 no hizo, al final de su *Ramillete,* sino reimprimir un pliego que circulaba desde tiempo atrás: todo, en su factura, nos lo está indicando y hay hasta la declaración explícita de haber suprimido lo relativo a la entrada de Felipe II en Lisboa «por ser tan notoria a todos».

---

11. Véase nuestro libro *Los cancionerillos de Munich (1589-1602) y las series valencianas del romancero nuevo,* Madrid, 1963, pp. 42 y 233-240.

Dando por descontado que la inmensa mayoría de los pliegos sueltos del siglo XVI han desaparecido, llevándose con ellos textos que hubiesen podido aclarar muchos puntos oscuros, y operando sólo con mínimos restos, con reimpresiones fragmentarias, todavía podemos establecer que los materiales recogidos no representan dos brotes ocasionales surgidos por el capricho de algún poeta en 1593 y 1604.

Lo que se nos aparecía como fenómeno aislado —seis romances en 1604, diez en 1593— vemos que no lo es y que hay que cambiar los ejes de otra forma: un romance en 1589, tres en 1591, doce en 1593. Por otra parte, impresos y reimpresos cubren un período cronológico que comprende las fechas de 1589, 1591, 1592, 1593, 1594, 1595, 1597, 1600, 1601, 1602 y 1604. Éstas son las pequeñas sorpresas que reserva aún la bibliografía literaria, imprescindible instrumento para cualquier construcción crítica o histórica que aspire a alcanzar cierta solidez.

Conservamos, pues, algo de lo que debió de ser la primera parte de *La Araucana* en romances y casi toda la tercera, pero nada de la segunda. En presencia de los textos examinados, podemos afirmar que fueron varios los poetas que intervinieron en esta popularización y que, por lo menos, tres distintos vertieron el trágico episodio de Lautaro y Guacolda.

El pueblo español no docto, las capas inferiores de la sociedad hispana pudieron así, a través de pliegos sueltos y romances, tener acceso a una de las obras cumbres de nuestra literatura, y a su vez *La Araucana*, al volcarse en el vehículo más popular, pudo cumplir y cerrar perfectamente el ciclo de sus influencias y proyecciones.

CRISTÓBAL BRAVO, RUISEÑOR POPULAR DEL SIGLO XVI

(Intento bibliográfico, 1572-1963)

En diciembre de 1963 fui invitado a tomar parte en la reunión anual de la *American Association of Teachers of Spanish and Portuguese* celebrada en Chicago, y elegí como tema *Los ruiseñores populares del siglo XVI: poetas ciegos.* Tracé un breve cuadro de conjunto de los principales representantes de la poesía entre los españoles de la época de Carlos I y Felipe II y avancé algunos nombres, títulos y fechas.

Ni el lugar ni la ocasión eran a propósito para otra cosa que no fuera esbozar un esquemático guión del libro que sobre tan curioso capítulo podría redactarse. Pero quedó el propósito de escribirlo alguna vez, desarrollando con la amplitud necesaria las cuestiones planteadas acerca de identificación, bibliografía, transmisión de textos, etcétera.

Yo no sé si el proyecto se llevará a cabo: como avance de él doy ahora la bibliografía de uno de los escritores más representativos, del cual apenas sabemos sino que se llamaba Cristóbal Bravo y era natural de Córdoba, exhibiendo en el título de sus obritas la circunstancia de estar «privado de la vista corporal».

Tres intentos de catalogar la obra de este popular aeda se han hecho modernamente. El primero se halla en el *Ensayo de un catálogo biográfico de escritores de la provincia y diócesis de Córdoba* por Rafael Ramírez de Arellano (1921), el segundo se debe a don Antonio Palau en su *Manual del Librero* (1955) y el tercero aparece en el tomo sexto de la *Bibliografía de la literatura hispánica* (1961) redactada por José Simón Díaz.

La desigualdad de las aportaciones es notable, máxime teniendo en cuenta las diferencias cronológicas: Arellano recoge noticia de *tres* impresos (1572, 1608, 1603); Palau reúne *trece* (1572, 1586, 1602, 1603, 1608, 1646, 1680, 1766, c. 1780, 1629, 1676, 1682 y c. 1760); Simón Díaz incomprensiblemente se queda en *ocho* (1572, 1586, 1597, 1603, 1608, 1758, 1629 y s. a.). Palau y Simón inscriben una obra que nos parece apócrifa, con lo cual se reducen sus listas a *doce* y *siete* números respectivamente. En las páginas que siguen mencionaremos, unas *de visu* y otras por referencia, *cuarenta* ediciones. Probablemente no serán todas las que se hicieron ni siquiera todas las que se conservan, porque hoy por hoy es imposible conocer con exactitud los fondos de las más importantes bibliotecas nacionales o extranjeras.[1]

Figuran las obras de Cristóbal Bravo, y de otros poetas ciegos como él, siempre en pliegos sueltos, en cuadernillos volanderos destinados a un gran público, generalmente con una presentación modesta y con pretensiones vulgarizadoras. El primer problema que nos plantea el examen de ellas es el de la autenticidad en las autorías. Creemos muy posible que algunas de las composiciones que estampaban fuesen efectivamente suyas, pero luego ellos mismos u otros editores, al señuelo de nombres más o menos conocidos, agregaron obras evidentemente ajenas.[2] Ya lo veremos más adelante.

---

1. Es justo hacer notar que E. M. Wilson, en su trabajo sobre pliegos sueltos «Samuel Pepys's Spanish chap-books», publicado en las *Transactions of the Cambridge Bibliographical Society*, II, n.º 2 (1955), pp. 127-154; n.º 3 (1956), pp. 229-268, y n.º 4 (1957), pp. 305-322, se ocupa de tres obritas de Cristóbal Bravo y menciona ediciones de ellas: *Trabajos de la bolsa*, seis (frente a una de Simón Díaz y una de Palau), *Testamento de la Zorra*, nueve (frente a una de Simón Díaz y tres de Palau) y *Testamento del Gallo*, nueve (frente a una de Simón Díaz y seis de Palau). Todavía a las veinticuatro ediciones que registra Wilson de estas tres piezas he podido adicionar nueve, y probablemente futuros investigadores añadirán más: en bibliografía siempre se está comenzando.

2. El artículo de S. Serrano Poncela, «Romances de ciego», publicado en *PSA*, XXV (1962), pp. 241-281, sin más documentación que el catálogo de pliegos reunidos por don Agustín Durán hace más de un siglo, menciona de pasada a Cristóbal Bravo como uno de los dos poetas ciegos que conoce y, naturalmente, cita el opúsculo de 1572, que es el único que acertó a encontrar en Durán.

La fecha más antigua en que se nos aparece Cristóbal Bravo es la de 1572 con un opúsculo en el cual figuran tres obritas: la primera la relación del martirio que sufrió en Mâcon (Francia) un fraile franciscano llamado fray Jerónimo Celo a quien los luteranos, tras la toma de la ciudad, hicieron objeto de mil crueldades hasta acabar con su vida. La segunda, de más enredo y aventura, nos presenta los sacrílegos amores entre un caballero y una monja para el rapto de la cual (y de mutuo acuerdo) falsea el galán las llaves necesarias y acude a la Iglesia de noche:

> y vido gran compañia
> de frayles y clerezía
> y la yglesia relumbraua
> con muchas lumbres que aiua
> Y ansi visto aquesta gente
> oyo cantar reziamente
> y en medio vn tumulo puesto
> segun nos lo cuenta el texto
> en la manera siguiente [...].

A nadie conocía el enamorado de los que estaban en el templo asistiendo a las fúnebres honras e ignoraba asimismo por quien se celebraban:

> A vn clerigo preguntó
> por quien ay honras hermano
> por el señor don fulano
> el clerigo respondio
> diziendo su nombre llano
> y el dixo no puede ser
> yo soy esse has de saber
> . . . .
>
> Luego a otro fue llegado
> y lo mismo pregunto
> y el otro le respondio
> por don fulano finado
> que ha muy poco que murio
> Y oyendo los malos fines

> por sus obras tan ruynes
> fuesse ved que cosa extraña
> y tras el en su compaña
> dos brauissimos mastines [...].

La leyenda de *Lisardo el estudiante* se narra aquí[3] con la secuela de perros devoradores del galán y con moraleja final. Alusión hay también a que toma Bravo el cuerpo de su cuento de obra anterior puesto que nos afirma la certeza de sus dichos «según escripto paresce». Cierra el plieguecillo una versión a lo divino de la glosa a la famosísima octava «A su albedrío y sin orden alguna».

No podemos precisar con exactitud la fecha, pero debe de haber salido de prensas locales[4] hacia 1580 el segundo de los folletos que figura en la bibliografía, conocido por un solo ejemplar. Trátase de una obrita humorística titulada *Las angustias de la bolsa,* graciosa disputa entre un galán y su escarcela con lamentaciones por parte del primero ya que siempre anda con ella vacía y justificándose la segunda con la vida desgarrada que lleva su dueño y la dama que le ayuda al gasto. Añádase, para completar las páginas necesarias, un viejo villancico al tono de «Por más que me digais / mi marido es el pastor», reimpreso múltiples veces en el siglo XVI y no atribuible a Bravo.

La popularidad de las *Angustias de la bolsa* fue extraordinaria, y en el cataloguillo que he formado podrán verse registradas ediciones de c. 1580, 1596, c. 1600, 1639 (Lisboa), 1639 (Cuenca), 1676 y 1833. ¡Curioso fenómeno este de la pervivencia tipográfica durante cuatro siglos de una obrilla popular, de entretenimiento!

No creo que sea primera edición la del folleto estampado en Valencia el año 1586, comprensivo de dos obritas, anónima en el impreso la primera y atribuida a Bravo la segunda. Aquélla

---

3. Cf. B. J. Gallardo, *Ensayo de una biblioteca de libros raros y curiosos,* t. II, n.º 1.477.
4. ¿Acaso impreso en Barcelona, por Claudio Bornat?

trata de lo que sucedió a un poeta muy famoso con un hombre lisiado y es ni más ni menos que la novelita en verso del licenciado Tamariz que todos pensábamos inédita y que di a la estampa [5] en 1955. La moralidad de la fábula es que no hay cosa más estúpida que empecinarse en el error en vez de reconocerlo y corregirlo tan luego como se advierte.

El argumento se reduce a que cierto poeta escribió un tan hermoso epigrama en alabanza de su rey, que éste quiso premiarle otorgándole las mercedes que señalase. El vate, conocedor de que en aquella ciudad se celebraba una fiesta anual concurridísima por infinita gente de todas partes y tenían forzosamente que pasar por un puente, solicitó el privilegio de que cada uno de los pasajeros que llevara un defecto físico le pagase una tarja, lo cual le fue concedido.

Hizo fijar a la entrada del puente un rótulo con la advertencia de su derecho y se puso allí para vigilar el cumplimiento. Marchaba todo como una seda hasta que

> truxo la fortuna o su pecado
> por la puente a vn prouete corcouado.

Como pasaba el chepa sin pagar lo suyo, diole voces el poeta en demanda de la tarja, pero no le hizo caso; fueron al cabo tantas las gritas que volvióse y con no entenderle demostró que era sordo. ¿Sordo y giboso? Dos tarjas. Protestó el chepudo, alegó el poeta su privilegio y, al alzar la cabeza el otro para leerlo, descubrió que llevaba una nube en un ojo, con lo cual acrecía la pena en otra moneda.

En fin, entre protestar y razonar se vino a declarar que el caminante era jorobeta, sordo, tuerto, tiñoso, sarnoso y quebrado, dando su disputa insensata por renta el pago de seis tarjas en vez de una. El cuento es donoso y está graciosamente narrado, aunque estropea la fábula el perverso manuscrito que utilizó el editor, falto en muchos lugares e incorrecto en otros.

---

5. Cf. mi libro *Relieves de erudición*, Valencia, 1959, pp. 79-125.

La segunda parte, escrita en redondillas (que así llama el poeta a las quintillas *ababa*), cíñese a decirnos las exigencias de una señora, tan pagada de sí misma que a buen seguro no habría de encontrar con tan desatinadas pretensiones quien cargase con su blanca mano. Ninguna de las dos tiene, al parecer, descendencia tipográfica conservada.

Tres piececitas hay en un pliego suelto, que existe en único ejemplar en la biblioteca de la Universidad de Gotinga,[6] salido de las prensas probablemente hacia 1590. De dos de ellas se reconoce autor Cristóbal Bravo y con escrupuloso melindre deja en silencio el nombre del poeta que redactó la otra.

Incluye en primer lugar el *Testamento del gallo,* obra inspirada en remotas tradiciones y que entra de lleno en una corriente literaria que deriva de la antigüedad clásica. Pilar García de Diego ha dedicado bastantes páginas [7] a abrir un poco el camino para el estudio de estas manifestaciones folklóricas entre nosotros, que parecen tener su más lejano origen en el *Testamento del lechón,* de Marco Grunio Corocota,[8] conservado en textos latinos a los cuales aluden san Jerónimo en el siglo IV y, entre nosotros, Rodrigo Caro [9] en el XVII, quien añade que «lo cantaban los niños en las escuelas con mucha fiesta y risada, como ahora el *Testamento de la zorra o el del gallo*».

He ahí una mención, por escritor culto, de dos obritas de nuestro poeta ciego Cristóbal Bravo eminentemente populares: tanto que en la lista que va luego figuran (sobre infinitas que hay que suponer perdidas) nada menos que trece, siendo la última de ellas de 1857. El texto va sufriendo ligeras varia-

6. Se describe por vez primera en el trabajo de Christian Fass, *Ueber eine Sammlung spanischer Romanzen auf fliegenden Blättern in der Gottinger Universitats-Bibliothek,* Halberstadt, 1897-1898, 4.º, 11-[1] pp.

7. Pilar García de Diego, «El testamento en la tradición», *RDTP,* IX, (1953), pp. 1-16, y X (1954), pp. 400-471.

8. Creo que hay versiones de este burlesco testamento en lenguas romances y estoy seguro de haberlo leído en italiano y en francés. En un voluminoso manuscrito de mi biblioteca, titulado *Dichos famosos,* letra de finales del siglo XVI o muy principios del XVII, hay una traducción inédita en castellano.

9. Rodrigo Caro, *Días geniales,* Sevilla, 1884, p. 325.

ciones impuestas a través de los siglos por el capricho de los editores, pero su fondo es el mismo.[10] Pilar García de Diego, en su útil trabajo mencionado, ha reimpreso uno de los más característicos.

Parece casi seguro que en las mandas se alude a personas que fueron muy conocidas en algún tiempo, y así la gracia podía derivar de dos conductos: la notable desproporción entre la pequeñez de un animalejo doméstico legando cuantiosos bienes

> y mando a Pedro de Oran
> y a su suegro Juan De Armenta
> que les den para San Juan
> diez mil libras de azafran
> y ochenta mil de pimienta.
> Item mando a Juan Maqueda
> y a su primo Gil de Andrada
> les den sin quitarles nada
> treinta mil libras de seda
> que tengo en Murcia y Granada,

y la más o menos representativa de la alusión a estas personas y nombres. Un dato hay para fechar aproximadamente la composición del *Testamento* y es el que se desprende de los últimos versos o «Fe del escribano».

> El testamento extremado
> que aqui señores bien veis
> a los quince fue acabado
> de setiembre señalado
> año de noventa y seis...

Figura en segundo lugar en el pliego la pregunta de un gentilhombre a un doctor acerca de qué sistema seguiría para curar a su mujer que era harto brava. Finaliza con la «Cartilla»

---

10. Sobre el tema en Portugal es importante el opúsculo de E. Lapa Carneiro, *Testamento que fez um galo*, Barcelos, 1963, 4.º, 24-[4] pp. y láms. Allí se mencionan varias ediciones portuguesas modernas y se añaden curiosos pormenores.

enviada a una dama para que aprendiese a leer, indudable obra de Juan del Encina aparecida en letras de molde desde el *Cancionero* de 1496 y reimpresa luego muchas veces.

De 1597 es la más antigua edición conocida del *Testamento de la zorra* que, al igual que el del gallo, hubo de tener dilatada descendencia: trece impresiones anteriores a 1850 lo atestiguan. En la que nos parece primera (Sebastián de Cormellas, Barcelona) figura el nombre de Cristóbal Bravo como autor; no así en la segunda (Valentín Vilonar, Barcelona) tal vez por ir con otra obra ajena, el *Testamento de Celestina,* sobre el cual ya escribí en otro lugar.[11]

Redúcese el texto a enumerar bienes y mandas con la exageración que vimos en el del gallo:

> En Indias del Preste Juan
> me deuen mucho thesoro,
> y en la ciudad de Milan
> pienso que me deueran
> cinco mil cargas de oro [...]

y que tan graciosa parecería a los lectores de siglos pasados. Importante es, sin embargo (y buena contribución al laboratorio celestinesco) la enumeración de los mejunjes y de los ingredientes para filtros, que habrá que comparar un día con los que aparecen en las *Coplas* de Rodrigo de Reinosa y aun en el propio texto de la *Tragicomedia.*

Ya con atribución expresa a Cristóbal Bravo solamente conocemos un poemita de índole moral en reprehensión de la lujuria, gula y blasfemia, escrito en quintillas. En la portada figura una curiosa nota que nos hace sospechar si la edición es la original y si se hizo en presencia del poeta: «Para que esta mi obra y las demás sean corregidas y enmendadas, las someto y pongo debaxo del gremio y corrección de la sancta madre

---

11. Antonio Rodríguez-Moñino, *Los cancionerillos de Munich y las series valencianas del Romancero nuevo,* Madrid, 1963, pp. 28-30.

Iglesia Catholica y de sus ministros». Si tuvo reimpresiones, no han llegado a nuestros días o a nuestro conocimiento.

Con el nombre y apellido de Bravo hay una *Relación* de la tempestad que padeció la ciudad de Granada el martes 28 de agosto de 1629, obrita que mencionan todos los bibliógrafos (y que se recoge asimismo en el *Catálogo* que irá luego) y sobre la adscripción de la cual caben hartas dudas: no parece posible que quien imprimía en 1572 siguiera publicando casi sesenta años más tarde. Pero, por si se trata de un caso de longevidad intelectual extraordinaria, no hay que rechazar de plano.

De las nueve obras casi seguras de Cristóbal Bravo, hay seis que sólo son conocidas por una sola edición. Las tres restantes tuvieron gran éxito popular: los *Trabajos* (o *Angustias*) *de la triste bolsa* alcanzaron siete tiradas entre c. 1580 y 1833; el *Testamento del gallo,* trece entre c. 1590 y 1857; el *Testamento de la zorra,* otras trece entre 1597 y 1849. Insisto en que es absolutamente seguro que habrán existido numerosísimas reimpresiones, las cuales han hecho posible la difusión y la tradicionalización de tan ingenuos, curiosos y populares textos.

Quede aquí, por hoy, esta contribución bibliográfica con la certeza de que no será definitiva, sino sencillamente un punto de arranque para que quienes vengan detrás puedan ampliar lo aquí apuntado con el fruto de sus personales investigaciones.

BIBLIOGRAFÍA

I. 1572

★ En este breue tractado se contie- | nen dos cosas muy notables. La primera: es sobre el Marty = | rio de vn deuoto Religioso de la orden de sant Francisco. El | qual fue martirizado en Francia entre Herejes en vna ciu | dad que se dize Macon. La segunda: es vn castigo que hizo | nuestro señor en vn mal hombre que quiso sacar vna religiosa | de su orden. Lleua al cabo vnos versos puestos a lo diuino so | bre aquella letra que dize. A su aluedrio y sin orden alguna. | Agora nueuamente compuesto por Christoual Brauo

priua | do de la vista corporal: natural de la ciudad de Cordo | ua.
Impresso con licencia en Toledo: en casa de | Miguel Ferrer que sea
en gloria. Año. | de. M. D. Lxxij.

A continuación el texto, a dos columnas.

Illustre congregacion || valerosa compañia.
Un caso de admiración || y prouechosa doctrina. Comiença el
seguudo [*sic*] caso.
Andaua vn peccador tan desmandado. Siguense los versos sobre
la letra que arriba diximos.

4.º [4] hojas, letra gótica excepto la primera línea del
título. No se aprecian signaturas ni numeración manuscrita.
Las dos primeras composiciones están escritas en quintillas,
la tercera en cuartetos.
Barcelona, Biblioteca Central (colección de Espona).

II.   c. 1580

Obra nveva lla | mada las Angustias de la bolsa. | Agora nue-
uamente compuesta, para | reyr, y passar tiempo. Con vn Vi- |
llancico al cabo. | [*Grabadito: galán y dama en el campo.*]

A continuación, a dos columnas, el texto.

Dezid bolsa mi zagala || para $\bar{q}$ quiero quereros. Comiença el
Galan, y dize.
Bolsa el consejo es bueno || señora $\bar{q}$ me aueys dado. Siguese
el alabança de la bolsa.
Que por mas $\bar{q}$ me digays || cada hora. Villancico al tono, de
Por mas que me digays || mi marido es el pastor.

4.º, [4] hojas, letra gótica excepto los títulos. S. i. t.,
c. 1580.
Madrid, Biblioteca Nacional: R-31364-20.

III.   1586

★   Aqui se cõtiene vna obra que agora | nueuamente se a cõ-
puesto para reyr y passar tiempo va repar | tida en dos partes la
primera trata de lo q̄ le sucedio a vn poe | ta muy famoso con
vn Hombre Corcobado la segunda trata | de vna Señora que se
queria casar y no hallaua quien la | quisiesse por las muchas cosas
que pedia fue compue = | sta en este presente año de. M.D.Lxxxvj
años | por Christonal [*sic*] Brauo ciego de la vista corpo | ral
natural de la ciudad de Cordoua | Improssas [*sic*] con licencia
en Valencia en casa de los herede = | ros de Juan nauaro junto al
molino de la Roeblla [*sic*]. | Siguese la obra y esta primera parte
va | en verso de otaua rima. | [*Tres figuras: anciano, pastor,
dama.*]

A continuación, el texto.

Si alguno algun herror a dicho o hecho.
Mi fe quierome casar || pues tengo el trigo sobrado. Aqui con-
cluye la primera parte y siguese la segunda en coplas redondillas.

4.º, [4] hojas, letra gótica excepto la primera línea del
título. A una columna la primera composición y a dos la segunda. Signaturas: Aij. Numeración manuscrita: 88-91.
Barcelona, Biblioteca Central (colección de Espona).

IV.   c. 1590

★   Aquí se contienen tres obras muy gracio | sas para passar
tiempo. La primera es vn testameto que hizo | vn Gallo, y de las
grandes mandas que mando a sus amigos. | La segunda, es vna
pregunta que pregunto vn gentil hõbre | a vn doctor đ Medicina
que orden tenia para curar a su mu | ger porque era braua đ muy
picuda. La tercera es vna Car- | tilla en copla, que pidio vna dama
a vn galan poeta, para aprē- | der a leer breuemente, porque era
ruda de ingenio. El testa- | mento del Gallo y la obra de la muger
picuda compue | stas en verso castellano por christoual brauo
ciego | de la vista corporal natural đ la ciudad đ cordoua. | [*Cua-
tro grabaditos: negro, gallo, negra y negro.*]

A continuación el texto, a dos columnas.

Por daros contentamiento || señores quiero contallo. Comiença el testaméto del Gallo. [*Quintillas.*]

Señor doctor singular || a quien todo el pueblo alaba. Siguesse la pregunta de vn gentil hombre a vn doctor.

Procuralda de ablandar || con palabras de beato. Respuesta del dotor al gentilhombre.

De vuestro querer catiuo || de passion apassionado. Comiença la cartilla que el poeta embio a la Dama para aprender a leer.

4.º, 4 hojas, letra gótica, s. i. t., c. 1590.
Gotinga, Universitäts-Bibliothek.

V.   1596

Obra llamada los trabajos q̄ passa la triste de la Bolsa.
Sevilla, R. de Cabrera, 1596.

4.º, 4 hojas, dos grabados. En verso.

Figuró en la colección del Duque de Sutherland, I, 13.
Paradero actual desconocido.

VI.   1597

Aqui se con | tienen dos testa | mentos muy graciosos | El vno es de la Zorra, el otro de Celestina, | de Duarte, juntamente el Codicillo, | y el Inuentario. | [*Tres grabaditos*: *moza, dueña, anciana*] | Impresso en Barcelona en casa | Valentín Vilomar. | Año 1597.

Portada, a la vuelta comienza el texto a una columna.

Yo Zorra triste cuytada || por cierto mala me siento. Testamento de la Zorra.

Celestina cuya fama || viuira vida sin cuento. Testamento de Celestina.

De aquel sueño leuantada || que era ymagen de la muerte. Codizillo de Celestina.

Celestina que Dios haya || en su vejez fue tutora. Carta de Celestina.

8.º, [14] hojas, letra redonda. No se aprecian signaturas. Munich, Staatliche Bibliothek.

VII. 1597

Aqvi comiença | Vna obra muy gustosa, la qual trata de vn | testamento, que hizo vna Zorra mandando, | y repartiendo todos sus bienes a sus hijos, y | herederos. Agora nueuamente compue- | sta por Christoual Brauo: vezino, | y natural de la ciudad | de Cordoua. | [*Tres grabaditos: galán, fortaleza, dama con una flor en la mano izquierda.*]

A continuación el texto, a dos columnas.

Yo Zorra triste cuytada || por cierto muy mal me siento.

El martes caso Anton con Catalina || en todo fue la boda desdichada. Comiença la obra. [*El título nada tiene que ver con el texto: son siete cuartetos de tema burlesco aldeano.*]

Dize la madre que quereys hija || que me llame la regaladica. Chiste.

[*Al fin:*] Con licencia impressas en Barcelona, en | casa Sebastian de Cormellas al Call. | Año. 1597.

4.º, [4] hojas, letra redonda. Signatura: Aiij. París, Bibliothèque Nationale: Yg. 117.

VIII. c. 1600

[*Barra compuesta de nueve piezas tipográficas.*] | ★ Obra llamada, Los trabajos que | passa la triste de la Bolsa. Aora nueuamente, para reyr | y passar tiempo. | [*Cuatro figuras: peregrino, caminante, mujer, soldado con pica.*]

A continuación el texto, a dos columnas.

Dezi bolsa mi zagala || para $\bar{q}$ quiero quereros. Comiença la obra.

Bolsa el cõsejo es muy bueno, || señora que me aueys dado. Siguese el alabança.

Con funeral aparencia || y de llorar ronco el pecho. Romance de las quexas de la muger de don Aluaro de Luna.

4.º, [4] hojas, letra redonda. S. i. t., c. 1600.
Londres, British Museum: Huth, 143.

IX.   1602

Aqvi Comiença | vna obra mvy gvstosa la | qual trata de vn testamento que hizo vna | zorra, mandando y repartiendo | sus bienes a sus hijos y | herederos. | Agora nueuamente compuesta por Christoual Brauo. | En Çaragoça. Por Angelo Tauanno M. D Cll.

8.º, 21 × 15,5 cm., 4 fols. con grabados en madera.
Ficalho, núm. 185.

X.   1603

Aqvi se contiene vna obra vtil y | prouechosa de reprehencion contra el pecado de la | Luxuria. Y assi mismo contra los gulosos y blasphe- | madores. La presente obra fue compuesta por Chri- | stoual Brauo, priuado de la vista corporal, natural | de la ciudad de Cordoua. Para que esta mi obra y las | demas sean corregidas y enmendadas, las someto y | pongo debaxo del gremio y corrección de la | sancta madre Iglesia Catholica, y de | sus ministros. | [*Grabado en madera: guerreros a pie y a caballo.*] | Impressas con licencia en Cuenca | en casa de Bartholome de Selma, | Año de 1603.

«En 4.º 4 hs. sin foliar ni signaturas.
Port. A la v., el texto, a 2 columnas.
Empieza:

> Omnipotente Señor
> despierta la lengua mia
> y dame sabiduria

porque pueda sin temor
dezir algo en este dia.

Acaba:

Procuremos bien obrar
y alcançaremos victoria
y ternemos en memoria
el eterno Dios sin par
para darnos la su gloria.

(Biblioteca del Duque de T'Serclaes)»

Así lo menciona Valdenebro en *La imprenta en Córdoba,*
n.º 250. Probablemente el ejemplar del duque de T'Serclaes era
el mismo que figuró en la Biblioteca de Huth.

XI.   1608

Testamento del gallo, obra muy graciosa para reyr y passar
tiempo. Agora nuevamente corregida y enmendada por Christoual
Brauo, vecino y natural de Cordoua. Barcelona. Sebastian de Cormellas. 1608.

«En 4.º A 2 columnas. 2 hojas. Figuras.

Empieza:

Por daros contentamiento

En coplas.»

Citada por Agustín Durán en el *Inventario* que precede a
su *Romancero.*

XII.   1629

Relacion | cierta, y verda | dera, sacada y divstada | de los
autos, e informaciõ ante Aluaro Fernan | dez de Cordoua Escriuano
publico, y Iurado | de la ciudad de Granada, en razon de la tem |
pestad que vuo en la dicha ciudad, Martes en | la tarde 28. de
Agosto deste Año de 1629. dia | del Bienaueturado S. Agustin, des-
de las dos | de la tarde, hasta las seys horas de | la misma tarde. |

Recopilada por Christoval Bravo. | Con licencia, en Granada, por Bartolome de Lorençana. | Año [*grabado de S. Agustín*] 1629.

Fol. 2 h. Sign. §.

XIII.   1632

Obra muy graciosa para reir, y pasar tiempo. La qual se llama el Testamento del Gallo. Va por estilo muy galano. Y al fin de la obra van vnas brabatas, y desgarros de vn Rufian largo de lengua, y cobarde de manos. Compuesto por Christoual Brauo, priuado de la vista, y natural de Cordoua. Impressas con licencia de los Señores del Consejo Real: En Cuenca, Por Saluador de Viader. Año 1632.

Contenido:

Por daros contentamiento. Siguese el testamento del Gallo.
Senta señor Escriuano. Siguense las mandas.
El testamento estremado. Escriuano.
Derreniego de la cisma. Siguense las brauatas del Rufian.
Quien te me enojo alma mia. Siguese vn Villancico al tenor dellas.

4.º, 4 hojas.
Copenhague, Biblioteca de la Universidad.

XIV.   1639

Obra llamada los trabajos que passa la triste Bolsa. Agora nueuamente compuesta y emendada por Esteuan Comas, vezino de la villa de Pons. Impressa con Licencia. En Cuenca, en la Imprenta de Saluador de Viader, Año de MDCXXXIX.

Contenido:

Dezi Bolsa mi zagala. Comiença la obra.
Bolsa el consejo es muy bueno. Sigvese el alabança de la Bolsa.

Con funeral apariencia. Romance de las quexas de la muger de don Aluaro de Luna.

4.º, [4] hojas.
Copenhague, Biblioteca de la Universidad.

XV. 1639

Trabajos que pasa la triste bolsa. Obra llamada | Los trabajos que passa la triste Bolsa. | En Lisboa. Con licencia de la S. Inquisición, Ordinario, y Palacio. | Por Antonio Aluarez. Anno de 1639. (B. G.)
«4.º 4 h. a dos col., sign. A. Titulo. Licencia: Lisboa 13 Julio 1636. Cuatro figuritas en madera. Texto. Nota final.
Papel en quintillas. Dialogo entre Bolsa, Galan y Dama.

Empieza:

> Decí bolsa, mi zagala,
> ¿Para que quiero quereros,
> Pues por estar sin dineros
> Nunca me veo con gala
> Ni ando entre caballeros?

Acaba:

> En la ciudad de Xerez
> He de comprar un arnés
> Y pondre yo mis tesoros
> Y mas de trescientos moros,
> Donde vos teneis los pies.

Sigue un romance de las quejas de la mujer de don Alvaro de Luna:

Empieza:

> Con funeral apariencia,
> Y de llorar ronco el pecho,
> La afligida doña Juana
> Al Rey se queja diciendo [...]

Acaba:

> Respondiera, mas no pudo;
> Que le ocupó el sentimiento,
> Y solo le dijo: baste,
> Litíguelo su heredero.»

Así lo describe Gallardo en el *Ensayo de una biblioteca española de libros raros o curiosos,* t. I, n.º 1227.

Paradero actual, desconocido.

XVI. 1640

Aqvi comienza vna obra muy gustosa la qual trata de vn Testamento que hizo vna Zorra, mandando y repartiendo todos sus bienes [*sic*], a sus hijos y herederos. Con vn Romance nueuo al cabo. Compuesto en verso por Christoual Brauo, vezino y natural de la ciudad de Cordoua. Impresso con Licencia, En Cuenca, En la Imprenta de Saluador de Viader, Año de 1640.

Contenido:

Yo Zorra triste cuytada. [*Quintillas.*]
Assida de los reçacos. Romãce nueuo de Cortes.

4.º, 4 hojas.
Copenhague, Biblioteca de la Universidad.

XVII. 1646

Testamento del Gallo. Valencia, junto al molino de Rovella, por Nogués. 1646.

4.º, 2 hojas con tres grabados en la portada.
Palau (n.º 34713) dice: «Vimos ejemplar en la librería Babra».

XVIII. 1676

Obra llamada los trabajos qve passa | la triste de la bolsa, | aora nuevamente para [*sic*] reir y passar tiem- | po. Lleva al cabo vn Romance muy gracioso. | Compuestas por Christoval Bravo, | privado de la vista.

A continuación tres figuras y texto:

Dezid bolsa mi zagala | para q quiero quereros. Comiença la obra.
Por entretener | vn poco la tarde. Romance placentero.
[*Al fin*:] Impresso en Sevilla, en la Imprenta de Iuan Cabeças. Acosta | de Lucas Martin de Hermosilla. Año de 1676.

4.º, [4] hojas, letra redonda, a dos columnas.
Cambridge, Pepys Library, Magdalene College.

XIX.   1680

Obra mvy graciosa, para reir, y passar | tiempo la qual se llama el Testamento del Gallo: vá por estilo | muy galano, y lleva al fin de la obra vnas brabatas, y desgarros de | vn valenton largo de legua, y cobarde de manos. Compuasta [*sic*] por Cristoval Bravo, privado de la vista, y | natural de Cordova. | [*Grabado: un gallo entre dos columnas verticales.*]

A continuación el texto, a dos columnas.

Por daros gusto, y contento | señores quiero contarlo. Siguese el testamento del Gallo.
Derreniego de la cisma, | y también de Satanas. Siguense las bravatas del Ualenton.
Quie te me enojó alma mia | dile que la suya ordene. Siguese Vn Villancico al tenor de las brabatas.
[*Al fin*:] En sevilla por Juan Cabeças, y se venden en | su casa, en calle de Genova, año | de 1680.

4.º, [4] hojas, letra redonda.
Cambridge, Pepys Library, Magdalene College.

XX.   1682

Aqvi se contienen dos obras graciosas | para reir, y passar tiempo. La primera, del Testamento de la | Zorra. La segunda, el llanto que hizieron sus parientes. | Compuesto por Christoval Bravo, privado de la | vista, y natural de la Ciudad de Cordova. | *Grabado: una zorra.*]

A continuación el texto, a dos columnas.

Yo Zorra triste cuytada | por cierto mala me sieto.
La gran Zorra Cabelluda | muerta se ha quedado muda. Siguese el llanto que hizieron todos los parientes.

[*Al fin*:] En Seuilla, por Juan Vejarano, à costa de Lucas Martin de | Hermosa, mercader de Libros. Año de 1682.

4.°, [4] hojas, letra redonda.
Cambridge, Pepys Library, Magdalene College.

XXI.   c. 1710

† | Obra mvy graciosa | para reir, y passar | tiempo. | La qual se llama el Testamento del Gallo, và | con vn estilo muy curioso; y al fin de la Obra |vàn vnas bravatas, y desgarros de vn | Rufian largo de lengua, y corto | de manos.

4.°, 4 hojas. Grabado de un gallo.

Por daros contentamiento [...]
Derreniego de la cisma [...]   Siguense las bravatas del | Rufian.
Quien te me enojò alma mia [...]   Siguese vn Romance como
el | passado.

[*Al fin*:] Con Licencia, en Sevilla: Por Francisco de | Leefdael, junto la Casa Professa de la Compañia de Jesvs.

Cambridge, colección de Edward M. Wilson (ex-Bullock).

XXII. c. 1720

Romances famosos de la Zorra para reir y passar tiempo, Sevilla, por Francisco Leefdael (h. 1720).

Según Palau, n.º 34720, la Librería Vetusta anunció un ejemplar el año 1930 en 20 pesetas. Parece que no es la misma impresión que el n.º XXI. Desde luego ha de ser 30 o 40 años anterior a la fecha dada por Palau.

XXIII. c. 1720

† | Romances famosos | de la zorra, | para reir y passar tiempo: | El primero, el Testamento que hizo la Zorra: El segundo, el Llan- | to que hizieron sus parientes. Compuestos por Christoval | Bravo, Ciego, natural de la Ciudad de | Cordova.

4.º, 4 hojas. Grabado de una zorra moribunda con otra.

Yo Zorra triste, y cuitada, [...]   Romance primero.
La gran Zorra Gabelluda, [...]   Siguese la relación del gran
                                                llan- | to que hizieron todos
                                                sus | parientes.

[Al fin:] Con Licencia, En Sevilla: Por Francisco de Leefdael | junto la Casa Professa de la Compañia de Jesus.

Cambridge, colección de Edward M. Wilson (ex-Bullock).

XXIV. 1758

Obra mvy graciosa | para reir, y passar tiempo, | la qual se llama el Testamento del Gallo. Và con un estilo | muy curioso: y al fin de la obra vàn unas bravatas, | y desgarros de un Rufian, largo de lengua, | y corto de manos. | Compuesto por Christoval Bravo, ciego, natural de Cordova.

4.º, 4 hojas. Grabado de una zorra que come a un gallo. Contenido como en los anteriores de este asunto.

[*Al fin*:] Con licencia. | En Valencia en la imprenta de Agus- | tin | Laborda, vive en la Bolsería, donde se ha- | llaràn otros Muchos Testamentos, Ro- | mances, Relaciones, y Estam- | pas. Año 1758.

Londres, British Museum: T. 1954 (46).

XXV. 1758

Nuevo, y curioso romance, | en que se declara la enfermedad, y cura | que se le hizo a vna Zorra: su muerte, y Testamen- | to, con el llanto que por ella hicieron sus | parientes, y deudos.

4.º, 2 hojas.

> Atencio[n], todos me escuchen,
> nadie me suelta el resuello [...]
> Ay, cuitado de mi, dice
> un zorrazo barbi negro [...]

> > Llanto de los | parientes de la
> > Zorra, | y quexa de sus hermanos.

[*Al fin*:] [*Adorno*] | Con licencia, | En Valencia en la Imprenta de Agustin La- | borda, vive en la Bolserìa; donde se hallaràn | otros muchos Testamentos, Historias, Ro- | mances, Relaciones, y Estam- | pas. Año 1758.

Londres, British Museum: T. 1954 (48).

XXVI. c. 1760

[*Grabado de un gallo*] | El testamento | del gallo.

4.º, 2 hojas.

> Por daros contentamiento,
> señores quiero contallo...

[*Al fin*:] Valencia: Imprenta de Laborda, calle de la Bolsería, núm. 18, donde se | hallará con otros diferentes.

Londres, British Museum: 1074. g 27 (63).

XXVII. 1766

Obra muy graciosa para reir y passar tiempo, la qual se llama el Testamento del Gallo. Va con un estilo muy curioso: y al fin de la obra, van unas bravatas, y desgarros de un rufian, largo de lengua y corto de manos. Madrid, 1766.

4.º, 4 hojas.
Palau, n.º 34715.

XXVIII. c. 1780

Obra muy graciosa para reir y pasar tiempo, la cual se llama el Testamento del Gallo. Barcelona, P. Campins (h. 1780).

4.º, 8 páginas con un grabado.
Palau, número 34.716, dice que lo poseyó en 1922.

XXIX. c. 1793

N.º 124. El testamento de la Zorra, Jocosa. Tiene dos partes. Córdoba, Imprenta de D. Luis Ramos y Coria, sin año.

4.º, 2 hojas.
Ha de ser anterior a febrero de 1794 puesto que aparece ya mencionada en la *Lista del surtido de Romances, Relaciones, Pasillos, Coplas, ...que en el dia tiene la Imprenta de Don Luis de Ramos y Coria, en Córdoba,* donde figura con el n.º 124.

XXX. c. 1800

Nuevo y curioso romance, en que se declara la enfermedad y cura, que se le hizo á una Zorra; su muerte y Testamento, con el llanto que por ella hicieron sus parientes y deudos. Málaga, Don Félix de Cosas y Martínez, sin año.

4.º, 4 hojas.
Salvá, I, 46. Segunda mitad del siglo xviii.

XXXI. c. 1820

El Testamento del Gallo. [*Esta línea debajo de un grabadito que representa a un gallo.*]

A continuación, a dos columnas, el texto. Empieza:

Por daros contentamiento.
señores, quiero contallo...

[*Al fin*:] Valladolid, Imprenta de Santarén.

4.º [2] hojas, s. i. t., c. 1820.
Biblioteca del autor.

XXXII. c. 1820

N.º 67. | [*Tres grabaditos en madera: árbol, zorra y ave, árbol.*] | El testamento de la Zorra.

A continuación el texto, a dos columnas:

Atencion, todos me escuchen
nadie me suelte el resuello...

[*Al fin*:] Con licencia: En Córdoba en la Imprenta de don Rafael Gar | cía Rodríguez, Calle de la Librería.

4.º, 4 hojas sin foliación ni signaturas. C. 1820.
Madrid, Biblioteca Nacional: Usoz 9497, n.º 145.

XXXIII. c. 1830

Testamento de la Zorra. Valladolid, Imprenta de D. Dámaso Santaren, sin año.

4.º
Impresión de hacia 1830. Figura mencionada en la *Lista de Romances espirituales, historiales y jocosos, Trobos, Seguidillas... impresos en la oficina de Dámaso Santaren... en Valladolid.*

XXXIV. 1833

A. N.º 26 | [*Dos grabados: caballero y dama*] | Angustias de
la Bolsa. | Contienda entre un galan, la bolsa y una dama, quején-
dose | de las incostancias que se tienen entre sí.

A continuación, a dos columnas, el texto:

Decid Bolsa mia zagala
para que puedo quereros
pues por estar sin dineros
nunca me veo con gala
ni ando entre caballeros...

[*Al fin*:] Con licencia. | Barcelona: Imprenta de Estivill año
1833.

4.º, 2 hojas.
Biblioteca Nacional: Usoz 9497, n.º 158.
Londres, British Museum: 12230. e 10 (49), 11450. f 26
(19).

XXXV. 1844-1849

Testamento de la Zorra, Córdoba, Imprenta de D. Fausto García
Tena, sin año.

4.º
Londres, British Museum: 1074. g 28 (24). Impreso entre
1844 y 1849, fechas límites en que este impresor pone su nombre en las ediciones, según establece Valdenebro.

XXXVI. 1847

[*Grabado de un gallo*] | El testamento del gallo.

4.º, 2 hojas.

Por daros contentamiento,
señores, quiero contallo...

[*Al fin:*] Valladolid, Imprenta de Dámaso Santaren, 1847.

Londres, British Museum: 12330. l. 10 (47).

XXXVII.   1857

(Número 129) | [*Grabado de un gallo que está en la cama. Otros dos le atienden, y un tercero, vestido de frac y con sombrero de copa le escribe el testamento.*] | Testamento de un gallo | que llevaba muchos años de pollo por los gallineros de Madrid.

4.º, 2 hojas.

> Por daros contentamiento,
> señores, quiero contallo...

[*Al fin:*] Madrid. — 1857. | Imprenta á cargo de José M. Marés, plaza de la Cebada, núm. 96.

Londres, British Museum: 11540. f. 24 (71).

XXXVIII.   1953

El Testamento del Gallo.

Es el n.º XXXI del presente catálogo, reimpreso por Pilar García de Diego en la *Revista de Dialectología y Tradiciones Populares,* IX (1953), pp. 23-26.

XXXIX

Obra nueva llamada las Angustias de la bolsa. Agora nuevamente compuesta, para reyr y passar tiempo [...]

Es el n.º II del presente catálogo, reimpreso en facsímil en *Pliegos poéticos góticos,* t. I, Madrid, MCMLVII, pp. 213-219.

y XL.   1963

Aqui se contienen dos testamentos muy graciosos. El vno es

de la Zorra, y el otro de Celestina de Duarte, juntamente el Codicillo, y el inuentario [...] Barcelona [...] Valentin Vilomar. Año 1597.

Es el n.º VI del presente catálogo, reimpreso en mi libro *Los cancionerillos de Munich y las series valencianas del Romancero nuevo...*, Madrid, 1963, pp. 303-314.

APÉNDICE DEL EDITOR

Dos romances perdidos de Cristóbal Bravo

Después de revisar el ensayo bibliográfico de don Antonio Rodríguez-Moñino sobre Cristóbal Bravo, he dado con una referencia a otros dos romances de este «ruiseñor popular» en una famosa colección de viajes inglesa. En 1625, el reverendo Samuel Purchas publicó en Londres una compilación en folio y en cuatro gruesos tomos intitulada *Purchas his pilgrimes. In five books.* En el tomo cuarto, el libro décimo trata de los descubrimientos y colonizaciones de los ingleses en Nueva Inglaterra y en Terranova, con la patente de navegación y los viajes a la Nueva Escocia; también trae relaciones de las armadas dirigidas por la reina Isabel contra los españoles. El capítulo XI de este libro trata del *Octagesimus Octauus mirabilis Annus*: la bula del papa, los preparativos del rey de España, la expedición del duque de Medina y las fuerzas del duque de Parma para la invasión de Inglaterra; descripciones de diversas batallas en alta mar entre las armadas inglesa y española, la derrota de los españoles y sus penosos infortunios durante la vuelta a España; las mentiras contadas por estos y el triunfo religioso de la reina de Inglaterra. La mención de Cristóbal Bravo ocurre entre las llamadas mentiras; creo que hubiera sido más justo describirlas como rumores anticipados y falsos de victorias españolas, después desacreditados en toda Europa.

Cito el encabezamiento y el título de la p. 1913 del t. IV:

[Titulillo de la página:] *Packet of lyes, concerning the successe of the Catholike Army. I haue thought good to adde here the prime reports made by the* Spaniards *and their friends, touching* | *the successe of their* Armada, *as they were printed in* Spaine, *and after published and scorned in* England. | [raya] | The true Relation of the sucesse of the Catholike Armie against their | Enemies, by the Letters of the Post-master of Logrono [sic] of the fourth of Septem- | ber, and by Letters from *Roan* of the one and thirtieth of August, and by Letters | from *Paris* of the Kings Embassadour there: wherein he declareth the imprison- | ment of *Francis Drake,* and other great Nobles of *England,* and how the Queene | is in the Field with an Armie, and of a certaine Mutinie which was amongst the | Queenes Armie, with the successe of the said Catholike Armie since they entred | in the *Groyne,* [= La Coruña] till they came on the Coast of *England,* with two Ballets * com- | pounded by *Christouer Brauo,* a blind man of *Cordowa,* Printed with licence by | *Gabriel Ramos Beiarano* Printer.

[*Nota marginal:*] * Like lips | like lettuce. | A blind Bal- | ladmaker fit | *Homer* for A- | *chillian* con- | quests.

[Traducción: «*Paquete de mentiras relacionadas con el éxito del ejército católico.*

»Me ha parecido bien añadir aquí las primeras noticias dadas por los españoles y sus amigos, tocantes al éxito de su armada, según fueron impresas en España y después publicadas y despreciadas en Inglaterra.

»Verdadera relación del éxito del ejército español contra sus enemigos, tomada de las cartas del jefe de correos de Logroño el día 4 de setiembre, y de cartas de Ruán del día 31 de agosto y de cartas de París del Embajador del Rey; donde declara la prisión de Francis Drake y otros nobles ingleses y cómo la Reina está en el campo con un ejército, y de cierto motín que tuvo lugar en el ejército de la Reina, con el éxito del dicho ejército católico desde que entró en La Coruña hasta su llegada a la costa de Inglaterra, con dos romances * compuestos por Cristóbal Bravo, ciego de Córdoba, impresos con licencia por Gabriel Ramos Bejarano, impresor.

»* Tal el labio, tal la lechuga. Un ciego que compone romances [es] Homero apropiado para estas conquistas de Aquiles.»]

Siguen versiones abreviadas o citas de cartas de Diego Peres [sic], desde Logroño; de Juan Gamarra y de Pedro de Alva, desde Ruán; del jefe de correos de Burdeos al Embajador de España en París, impresas por Cosmo [sic] de Lara de Sevilla. Los romances de Bravo no figuran traducidos en el tomo de Purchas, quien le cita únicamente en el título de estos párrafos y en el margen. Pero sabemos que hubo un impresor sevillano, de nombre Gabriel Ramos, que trabajaba allí en 1588.* La

* C. L. Penney, *List of Books printed 1601-1700 in the library of The Hispanic Society of America,* Nueva York, 1938, p. 849.

misma fuente también confirma que Cosme de Lara imprimía en Sevilla durante los años 1588-1589. Este Ramos, pues, será el impresor que publicó los dos romances del ciego que celebraron las falsas noticias de victorias españolas sobre los ingleses. No creo que exista ya ejemplar alguno del pliego que los contendría; creo, sin embargo, que existió tal pliego y que un ejemplar llegó a Londres poco después de la derrota de la Armada invencible. [E. M. W.]

ARCHIVO DE UN JACARISTA
(1654-1659)

1. NOTICIA

Los pliegos poéticos españoles del siglo XVI han sido estudiados en gran parte y podemos conocer hoy la mayoría de los que se conservan en bibliotecas públicas o privadas, gracias a las reproducciones, a los catálogos que se van poco a poco haciendo y a que como, generalmente, están impresos en tipos góticos, libreros y coleccionistas los estiman como bellas y raras piezas.

Pero de los del XVII apenas si sabemos algo. Quitando los de Copenhague y los de Cambridge, diligentemente estudiados por Emil Gigas [1] y Edward M. Wilson,[2] no hay trabajos acerca de grupos o series numerosas o, al menos, no han llegado a nuestra noticia.

Y es importante conocerlos porque ellos aseguran la transmisión de textos antiguos, ponen en circulación temas nuevos y son fuente inagotable para el estudio de la evolución poética. ¿Que no siempre son obras maestras las que contienen, sino que muchas veces apenas rozan el nivel de lo mediocre? Conforme, de toda conformidad. Pero eso es regla común de todos los impresos: para alcanzar la lectura de un Góngora o de un Garcilaso, hay que apartar innumerables Arbolanches y Trillos.

Desde principios del siglo XVII empieza a tomar vuelo lo que hemos dado en llamar romances o coplas de ciego, por ser

1. Emil Gigas, «Ueber eine Sammlung spanischer Romanzen in fliegenden Blättern in der Kgl. Bibliothek zu Kopenhagen», *ZfB,* II (1885), pp. 157-172.
2. Edward M. Wilson, «Samuel Pepys's Spanish chap-books», *Transactions of the Cambridge Bibliographical Society,* 1955-1957 (cf. nota 1 de p. 256).

en general invidentes quienes cantaban o vendían sus textos por calles y plazas. Sin que llegara a ser monopolio, casi con exclusividad eran ellos los que trataban en este tipo de literatura popular, muchas veces vulgar.

La escasez de los ejemplares es extraordinaria. Podríamos afirmar que hemos visto más números de la decimosexta que de la siguiente centuria y por ello creemos que va siendo hora de pensar en la organización de un catálogo general de todos o, al menos, de imprimir contribuciones parciales como se ha venido haciendo con los de fecha anterior.

Tales consideraciones nos han movido a trazar el presente artículo en el cual vamos a dar noticia de una curiosísima serie que figura en nuestra biblioteca.[3] No se trata en este caso de impresos sino de algo más importante: de los propios manuscritos que sirvieron para presentarlos a la superioridad con el fin de obtener las necesarias aprobaciones y proceder a la edición.

Sin duda formaron parte del archivo de algún ciego no demasiado curioso de guardarlos en limpio lugar y se nos ofrecen con señas inequívocas de haber sido celosamente atesorados entre camisa y pecho: dobleces múltiples, manchas de tinta o grasa y de sudor. La letra es, a veces clara, también a veces torpe y ramplona; no parecen autógrafos, sino copias encargadas por mercaderes.

Todos son originales para la imprenta y no nos cabe duda de que fueron estampados, con seguridad múltiples veces, aunque sólo conozcamos edición del número XIV que ha sido mencionada desde tiempos de don Agustín Durán.[4]

En modo alguno puede considerarse como autores a los que figuran con tal categoría en las portadas: la expresión de «compuestos» no tiene más valor que la de «puestos en circulación» y basta para asegurarnos de ello el hecho de que una

---

3. Adquirido en Sevilla, en 1942, en unión de otros papeles.
4. *Romancero general,* I, p. LXXXI.

conocida pieza de don Francisco de Quevedo se la apropie Cosme Pierres.

Repasando las bibliografías generales de Gallardo,[5] Salvá o Palau no encontramos noticia alguna de Manuel Donoso, Domingo Iglesias, Miguel López de Honrubia, Cosme Pierres, Joseph Salbadores o Antonio Santos, que debieron de ser aprovechados editores de obra ajena, a veces publicada tres lustros antes o inédita en su tiempo.

Así sucede con las composiciones «Adiós famoso Madrid» o «Una niña bonita» que habían aparecido desde 1640 en los *Romances varios*[6] y se los atribuye Domingo Iglesias, o con el antes mencionado «Ya que a las cristianas nuevas» de Quevedo que prohija Cosme Pierres.

Muestras de literatura plebeya, degeneración del romance popular, los contenidos en estos plieguecillos merecen ser estudiados como testigos de un ambiente y como expresión de los intereses literarios de una gran masa de españoles a fines del reinado de Felipe IV y comienzos del de Carlos II. Salvo en un caso (n.º VII) en el cual el censor señala una copla que debe quitarse, en los demás se autoriza la publicación: los textos son, en acertada frase del padre Niseno (n.º III), buenos "para lo que quiere el vulgo».

A la descripción de las trece piezas manuscritas (n.ᵒˢ I-XIII) que han llegado a nuestro poder, añadimos otras tres de impresos (n.ᵒˢ XIV-XVI), todos de Miguel López de Honrubia, que debió de ser un aprovechado explotador de obras ajenas.[7] Van al fin un índice de primeros versos, otro de atribuciones y copia de algunos textos.

5. Gallardo menciona incidentalmente el pliego (II, col. 204) ya citado por Durán.
6. *Romances varios de diversos avtores*, Pedro Lanaja, Zaragoza, 1640, fols. 391 y 394.
7. Tomamos la nota de Durán, I, pp. 80 y 81.

2. DESCRIPCIONES BIBLIOGRÁFICAS

I. Xacara a la despedida que hizo vn hijo | de vezino de
Madrid con vnas siguidi | llas muy gratiosas por Domingo Iglesias.
[*Al fin:*] Véalo el Rmo. Pe. Nyseno i de su parecer.
«Podra V. S. (si es servido) dar licencia para q. se imprima
este papel, q. no tiene algun inconveniente pa. no estamparse. Md.
y vijbre IV de 1654. Nysseno.»

4.º, 2 hojas.

A Dios famoso Madrid   adios mi querida patria [...]
Vna niña bonita   dixo ala madre [...].

II. Romançe en | Competencia entre el Carnal y la quaresma |
compuesto por Miguel Lopez de honrubia.
[*Al fin:*] Vea esta conpetencia el sr. P.ᵉ M.º fr. Miguel Guerrº.
i de su parecer.
«No siento cossa digna de reparo en este papel y assi podra
V. S.ª dar licencia pa. que passen. f.ª en md. a 2 de Abril de 1655
as. fr. Miguel Guerrero.»

4.º, 2 hojas.

Al audiencia del Carnal   llega la triste quaresma [...].

III. Aqui se contiene vna | Jacara de vna querella | que dio
en Meco vn | Portugues quexandose de vn | borrico porque le | que-
bro su espada | donde se declara el pleito | que tuuieron y la
senten | cia que le dio Compuesta | Por Miguel Lopez de | Hon-
rubia.

[*Al principio:*] Vea el Reberendísimo Padre Niseno este Romance y de su pareçer Madrid y Junio 22 de 1656 as.
«Puede V.ª S.ª (si es servido) dar licencia para q. se imprima
este Juguete; qe. no parece tener invениente alg.º y es para lo qe.
quiere el Vulgo. Md. y Junio 23 de 1656. Nysseno.»
«Imprimiose en casa de Andres Garcia.»
«Dase licencia para que se imprima. en 24 de julio de 1659.»

4.º, 4 hojas.

En Meco se querello   de un borrico vn portugues [...].

IV.   [Aqui se conti]enen dos romances nuevos de vna carta
que | embio vn Gallego a su hijo a esta Corte y el segundo de la
res | puesta que | embio el | hijo a su pa | dre Com |puesto por |
miguel lo | pez de hon | rubia.

[*Al fin:*] Rmo. P.ᵉ M.º Fr. Diego Niseno, sirvase V. Rma. de
ver estas coplas, i dar su Parecer. D. Lop. [?].

«Puede V. S. (si es servido) dar licencia para q. se inpriman
estos Romances, qe. son mui del tienpo, y no tienen cosa indecente
qe. obste el poder imprimirse. Md. febº 16 de 1656. Nysseno.»

4.º, 4 hojas.

Toribio Martin me dixo   como ya estas en la corte [...]
Padre yo estoi bien hallado   y le digo por lo menos [...].

V.   Jacara a una Gallega coxa que se caso con | vn corito cor-
cobado y el padrino fue zurdo | y tuerta la madrina. Compuesta
por Mi[guel] | Lopez de Honrub[ia].

[*Al fin:*] Vea esta Jacara yntitulada a vna gallega el Rmo.
Padre fray Placido de puga y de su parecer. Madrid 15 de Henero
de 1657 as.

«No ay q. reparar en esta Jacara para q. deje de imprimirse. en
St. Martin de Md. Enero 19 de 1657. El M.º fr. Placido de Puga.»

4.º, 3 hojas.

Ya Dominga se a casado   con toribio sin congoxa [...].

VI.   [*Sin título.*]

[*Al fin:*] Vea i de su parecer deste Papel el Rmo. Pe. M.º fr.
Benito de Rivas. de la Sagrada Religion de N.º Patriarca san Benito.
Md. 21 de Julio 1658.

«No ay inconveniente en q. este papel se publique. S. Martin.
Julio 24 de 1658. fr. Benito de Ribas.»

4.º, 3 hojas.

Oygan señores valientes   vna Jacara que ensalça [...].

VII. Xacara nueba de todas las sabandijas que se vañan en el Rio por el verano y de las meri | endas y cossas que se venden. | Compuesta | por Miguel Lopez de Honrrubia.

[*Al fin:*] Vea, i de su Parecer deste Papel el R.º P.ᵉ M.º fr. Benito de Rivas de la Sagrada Religión de N. Patriarcha san Benito Md. 21 de Julio 1658.

«Quitada la decima copla las demas entretienen con decencia y pueden imprimirse, en s. Martin y Julio 24 de 658. fr. Benito de Ribas.»

4.º, 4 hojas.

Alla uas xacara nueba   de lo que passa en el rrio [...].

VIII. Xacara nueba Y | Expulsion de las vi | ejas para que dentro de quarenta dias no pa | rezca ninguna | Compuesta Por | Cosme Pierres.

[*Al fin:*] Vea este Papel el Rmo. P.ᵉ M.º fr. Benito de Rivas. Predicador de su Magd. i de su Parecer. Mad. 18 de Agosto 1658.

«No ay cosa en este papel q. disuene puede imprimirse sirbiendose v s de dar su licencia. S. martin 23 de Agosto de 658. Fr. Benito de Ribas.»

4.º, 4 hojas.

Ya que a las Christianas nueuas   Expelieron poco antes [...].

IX. Testamento en berso que otorgo vn poeta [*cortada la línea*] | siçion y boluntad se declara ante vna de las nuebe musas del pelo | con que llego a la muerte y bibe con el credito de pobre. [*Al fin:*] Por Joseph Salbadores.

[*Al fin:*] Remitese al P. M.º fr. Josef Moreno.

«No allo inconveniente en este testamento para que se de a la enprenta aunque no allo que tenga conveniencia su autor. en md. a 27 de abril de 1659. fray Joseph Moreno. = Imprimase.»

4.º, 4 hojas.

En el nombre de Jesus   quiero açer mi testamento [...].

X.   Aqui se contiene vna xacara nueva | de vn desafio que
tuuieron el | Mellado y el Mulato sobre quien | era mejor oficial de
la vña donde | declara la competencia que tuuie | ron y las amista-
des que ajustaron | Compuesta por Miguel Lopez de Honrubia.

[*Al fin*:] Imprimase.

4.º, 2 hojas.

Riñeron el otro dia   el mellado y el mulato [...].

XI.   Xacara nueba de la riña y pendencia que | tubieron dos
ninfas de esta corte sobre que si el traxe | de las mantellinas era
tan decente | como el de los mantos Y como por | medio de vn
capon se apa- | ciguo la pendencia con vnas segui- | dillas que se
cantaron a las pazes | Compuesto por manuel Donoso.

[*No lleva licencia ni fechas.*]

4.º, 3 hojas.

Escuchenme todos quantos   de xacaristas se precian [...]
Sin saber la pendiente   señoras mias.

XII.   Aqui se contiene el nueuo | parto, que ha tenido Gila
[*tachado*: Marina] | en Santorcaz, y la gente | que se hallo en el
cristianismo | del nino que pario | Compuesto por antonio santo[s].

4.º
Solamente queda una hoja que haría de cubierta, con el
texto que hemos copiado.

XIII.   Xacara de vna famosa Cosaria en el | mar de esta corte;
y de las | presas que hizo, y | fin q. tuuo. Compuesta por Miguel
Lopez de honrub[ia].

[*Al fin*:] Imprimasse.

4.º, 4 hojas.

En esse mar de la Corte donde todo el mundo campa [. .].

XIV. Aqui se contienen dos xacaras nueuas de dos Iayanes campanudos, y ambos de vn oficio. La primera de Portillo el de Alcala Y la segunda de Sancho el del Campillo; con vn romance de vna dama muy hermosa. Compuestas por Miguel Lopez. Madrid, Imprenta Real.

4.º, 2 hojas a dos columnas.

Tocando con la cadena. Jácara de Portillo el de Alcalá.
Yo soy Sancho el del Campillo. Jacara de Sancho el del Campillo.
Muy a lo bobo gasté. Romance satírico a una dama cuya boca olía mal.

(Durán, I, p. LXXX.) Hay ejemplar en la biblioteca de The Hispanic Society of America, Nueva York.

XV. Aqui se contienen dos romances nueuos de vna carta que enuio vn gallego a su hijo a esta corte y el segundo de la respuesta que enuio el hijo a su padre. Compuesto por Miguel Lopez de Horrubia. Madrid, Julian Paredes, 1656.

32.º, 4 hojas.

Toribio Martin me dijo. Romance.
Padre yo estoy bien hallado. Respuesta al anterior.

(Durán, I, p. LXXXI.)

XVI. Aqui se contiene vna xacara nueua de vn valiente de la ciudad de Antequera llamado Anton Loxa. Juntamente con vn romance de Marizapalos, a lo humano; Compuesto por Miguel Lopez de Honrubia. Madrid, Andrés García, 1657.

32.º, 4 hojas.

Los que campais por la hoja. Romance jácara.
Marizapalos bajo una tarde. Coplas de Marizapalos.

(Durán, I, p. LXXXI; Gallardo, II, p. 204.)

3. Índice de atribuciones

Donoso, Manuel, XI.
Iglesias, Domingo, I.
López de Honrubia, Miguel, II, III, IV, V, VII, X, XIII, XIV, XV, XVI.
Pierres, Cosme, VIII.
Salbadores, Joseph, IX
Santos, Antonio, XII.
Anónimo, VI.

4. Índice de aprobantes

Guerrero, Fr. Miguel, II.
Moreno, Fr. Josef, IX.
Niseno, Fr. Diego, I, III, IV.
Puga, Fr. Plácido de, V.
Ribas, Fr. Benito de, VI, VII, VIII.

5. Índice de primeros versos

A Dios famoso Madrid, I. Domingo Iglesias.
Al audiencia del Carnal, II. Miguel López de Honrubia.
Alla uas xacara nueua, VII. Miguel López de Honrubia.
En el nombre de Jesús, IX. José Salbadores.
En esse mar de la corte, XIII. Miguel López de Honrubia.
En Meco se querelló, III. Miguel López de Honrubia.
Escuchenme todos quantos, XI. Manuel Donoso.
Los que campais por la hoja, XVI. Miguel López de Honrubia.
Marizapalos bajó una tarde, XVI. Miguel López de Honrubia.
Muy a lo bobo gasté, XIV. Miguel López.
Oygan señores valientes, VI.

Padre yo estoi bien hallado, IV, XV. Miguel López de Honrubia.
Riñeron el otro dia, X. Miguel López de Honrubia.
Sin saber la pendencia, XI. Manuel Donoso.
Tocando con la cadena, XIV. Miguel López.
Toribio Martin me dijo, IV, XV. Miguel López de Honrubia.
Vna niña bonita, I. Domingo Iglesias.
Ya Dominga se a casado, V. Miguel López de Honrubia.
Ya que a las christianas nueuas, VIII. Cosme Pierres.
Yo soy Sancho el del Campillo, XIV. Miguel López.

6. TEXTOS

XACARA A LA DESPEDIDA QUE HIZO VN HIJO DE VEZINO DE MADRID
CON VNAS SIGUIDILLAS MUY GRACIOSAS,
POR DOMINGO IGLESIAS

A Dios famoso Madrid
a Dios mi querida patria
que el ausentarme de ti
lo siento mucho en el alma
5   Ausentome de tus muros,
de tus calles, y tus plaças,
porque fortuna en efecto
siempre me ha sido contraria
A Dios imagen de Atocha
10 fuente do mana la gracia,
donde muchas vezes iua
a ver vuestro Templo y Casa.
A Dios Conuentos Parroquias
hospitales, Casas santas
15 do curan tantos enfermos
que con tanto es cosa estraña
a Dios fuentes, prados, soto
de Mançanares que llaman
donde con muchas meriendas
20 baxan galanes y damas
a Dios la casa del Campo
a Dios puente segouiana
a Dios Palacio Real

de Emperadores Alcaçar
25 a Dios la plaça mayor
en todo el mundo nombrada
con tu real Panaderia
valcones, rejas doradas
a Dios nobles Cortesanos
30 do esta la ciencia fundada
de ingenio y habilidad
en grandeza, letras, y armas
a Dios ricos mercaderes
puerta de Guadalajara
35 adios lucidos roperos
y jubeteros de fama
adios rica plateria
de diamantes y esmeraldas
a Dios la carpinteria
40 a Dios la puerta cerrada
a Dios Prouincia y oficios
a Dios Santa Cruz sagrada
a Dios la Zapateria
do los valientes se calçan
45 a Dios vayucas y tiendas
a Dios mesones, posadas
a Dios las casas de gula
que mil vezes me fiauan
a Dios fregonas Gallegas
50 a Dios damas Cortesanas
[a] Dios hijos de vezino
[g]ente noble y bien hablada
[b]ien sabeis que soy paisano
Criado en la caba baxa
55 [b]oy triste de noche y dia
[q]ue siento tu angustia larga
[q]ueda a Dios moças del rio
[q]uedaos a Dios vallenatas
[a] Dios calle del espejo
60 [a] Dios calle del Abada
[a] Dios la del Arenal
[a] Dios la mayor que llaman
[a] Dios la de las Carretas

la de la Cruz y la Parra
65   A Dios la puerta del Sol
y calle de las Infantas
a Dios puerta de la Vega
Plaçuela de la ceuada
a Dios la de Anton martin
70   la del Angel de la Guarda
con la de Santo Domingo
adios calle de Santa Ana
[a] Dios la de leganitos
a Dios la del Duque de Alua
75   la de la Puebla y relox
la de San Juan y la espada
A Dios la de la encomienda
de Lauapies y Solana.
adios calle del oliuo
80   la de la Paloma mansa
a Dios calle de Alcala
a Dios calle toledana
a Dios la Calle de Atocha
a Dios la de la Mançana
85   las demas calles adios
que son muchas las que faltan
que a dezirlas vna a vna
eran menester cien planas
a Dios Baltasar amigo
90   encomendarasme a Juana
que hasta boluer de Milan
seran mis penas dobladas
a Dios valientes soldados
que en san Felipe en las gradas
95   vnos pretendeis ginetas
y otros ventajas y plaças
no puedo mas detenerme
que mi Capitan me aguarda
vuesas mercedes perdonen
100   a Dios que tocan la caxa.

XACARA NUEBA DE TODAS LAS SAUANDIJAS QUE SE VAÑAN EN EL RIO
POR EL VERANO Y DE LAS MERIENDAS Y COSSAS QUE SE VENDEN.
COMPUESTA POR MIGUEL LOPEZ DE HONRRUBIA

Alla uas xacara nueba
de lo que passa en el rrio
comprenmela por vn quarto
escuchenla por vn victor
5   Llorando esta Mançanares
al instante que lo digo
por los hojos de su puente
pocas hebras hilo a hilo
Mas agua trae en un jarro
10   qualquier quartillo de vino
de la taberna que lleva
. . . . dijo
Tienele del Sol la llama
tan chupado y tan sorbido
15   que se le mueren de sed
las rramas y los mosquitos
En Verano es vn Guiñapo
hecho pedaços y añicos
y con rremiendos de arena
20   arroiuelo capuchino
Por este tiempo se ve
mas poblado de bullicio
Coche aqui Coche aculla
y metido a Porqueriço
25   Tres carroças de tusonas
perdiendo van los estriuos
Con pecosas y vermejas
nariz chata y hojos vizcos
Mugeres que cada dia
30   ponen con sumo artificio
su cara como sus hollas
con su grassa y su tocino
Agora se esta vna Dueña
desnudando el avinicio
35   haciendoles en crecientes

que es el Jordan a sus siglos
        Vna Donzella que save
que se le haoga su virgo
en poca agua le salpica
40   escaruandole a pellizcos
        Vna fea amortajada
en su sauana de lino
a lo difunto se muestra
Marimanta de los niños
45   Otras entran sin camissa
y parece que las miro
las viejas en queros muertos
las moças en queros vibos
        No todas . . . . .
50   las Señoras que publico
que en pescados avadejos
an nadado mas de cinco
        Vna vieja con enaguas
va salpicando de echiços
55   Con dos pocilgas por hojos
por espinaço vn rrastrillo
        Por piernas vn tenedor
y por copete vn eriço
y por manos vnas guadañas
60   y por cara el Antechristo
        Aguardando estan la noche
vn Potroso y vn Podrido
para sacar a volar
vno parches y otro el lio.
65   Dos estudiantes sarnosos
mas granados que los trigos
se muestran con Mançanares
sino clementes Beninos
        Con sus capas en los ombros
70   y en piernas algunos Miços
pescan de los nadadores
en la orilla los vestidos
        Suenan tragos y vocados
entre matracas y siluos
75   y llevan el contrapunto

atragantados Zollipos
    Los mas en los salpicones
de carrera dan de hocicos
en Diciplinas del sorbo
80   son abrojos los choriços
    Rabanos y queso y votta
en la gente del pardillo
dan mas trauajo al gaznate
que copones cristalinos
85   En camisa por hir presos
van no pocos Palominos
y sin Marta algunos Pollos
y a de ser suios aitos
    Vn Medico de Reuoço
90   va tomando por escrito
los nombres de los que cenan
fiambre con bino frio
    Andan por diuersas partes
rrepartidos quatro o cinco
95   Alguaciles que abiçoran
pendencias y desafios
    Por la parte que no ai puente
hacen de varcos oficio
pasando en ombros la gente
100 los gallegos y coritos
    Vailan al son del Pandero
las Damas del varatillo
y a sacarlas y meterlas
biene todo el lacayismo
105   Vna vieja setentona
va cocando los chiquillos
con mazapan y melochas
y pan mazcado con higos
    En vn vano vna gallega
110 lebanta vn vodegoncillo
y vende con su pimie[n]ta
la ensalada de Pepinos
    Agua fria Caualleros
vno va diciendo a gritos
115 con vn cantaro mellado

y con vn varro mordido
Otro va con vna cesta
diciendo compren varquillos
y suclen irsele a pique
120   Jugando con vn palillo
Venden tortillas de leche
. . . . .en sus borricos
movien [...] con . . . .
pregonando con tonillo
125   Jugo el sol al escondite
dejando a escuras el sitio
con que dio fin a la tarde
y a esta xacara principio.

XACARA NUEBA Y EXPULSION DE LAS VIEJAS PARA QUE DENTRO DE
QUARENTA DIAS NO PARESCA NINGUNA.
COMPUESTA POR COSME PIERRES

Ya que a las Christianas nueuas
Expelieron poco antes
a la Expulsión de las viejas
todo christiano se halle
5   Pantasmas acecinadas
Siglos que andais por las calles
muchachas de los finados
y calaueras fiambres
Doñas Siglos de los Siglos
10   . . . .
viejas, El diablo sea sordo
salud y gracia sepades
Que la muerte mi señora
oi embia a disculparse
15   con los que se quexan dello
porque no os lleua la landre
Dicen y tienen razon
de gruñir y de quexarse
que viuis adredemente
20   engullendo nauidades
Que chupais sangre de niños

como brujas infernales
que a benido sobre España
plaga de avuelas y madres
25   Dicen que hauiendo de ser
los que os rondan sacristanes
. . . .
andais sonsacando amantes
    Diz que sois como pasteles
30   sucio suelo hueca ojaldre
y aunque pasteles hechizos
teneis mas hueso que carne
    Que seruis de enseñar solo
a las Pollitas que nacen
35   enredos y pediduras
habas puchero y refranes
    Y porque no ynficioneis
a las chicotas que salen
que sois neguijon de niñas
40   que obligais a que las saquen
    Y attento que se an quejado
vna reyna de galanes
que pedis i no la vncion
y no ai volsa que os aguarde
45   Si . . . .
que os an de dar estas tardes
al afeite y al carton
que os enfermen y que os maten
    Y si (lo que Dios no quiera)
50   estas cosas no bastaren
que con desengaños viuos
los Espexos os acaben
    Y porque dicen que hai
vieja frisona y gigante
55   que ella y la puerta de moro
nacieron en vna tarde
    Declara que aquesta vieja
murio en las comunidades
y que vn diablo en su pellexo
60   anda oi haciendo visajes
    Vieja varbuda y de ojeras

. . . .
y que al alma condenada
en todo lugar retrate
65   Toda vuieja [*sic*] que se enrrubia
passa de lejia se llame
y toda vieja apilada
en la quaresma se gaste
    Vieja de voca de concha
70   con arugas y canales
pase por mono professo
y Coque pero no hable,
    Vieja de diente hermitaña
que la triste vida hace
75   en el desierto de muelas
tengas su risa por carcel
    Vieja[s] flacas, i solenes [8]
con Perfumes y Estoraques
. . . .
80   hieda quando se lebante
    Vieja amolada y buida
cecina con aladares
pellejo que anda en chapines
por carne momia se pague
85   Vieja Pildora con oro
y cargada de Diamantes
quien la tratare la robe
quien la eredare la mate
    Vieja blanca a puros moros
90   solimanes y Albaialdes
Vestida sea el Çancaron
y el puro Mahoma en carnes
    Los Cimenterios Pretenden
que vn Juez alma se despache
95   que os castigue por huidas
. . . .
    Mas su merced de la muerte
que en las vniuersidades
de medicos se esta armando

---

8. Corregido por el censor. Decía: *Vieja visperas solenes.*

100 que la siruen de montantes
Esto me a mandado o viejas
que en su nombre y de su parte
os notifique, atencion
y ninguna se me tape
105 Dentro de quarenta dias
manda que a todas os gasten
en hacer tabas y chitas
y otros dijes semejantes
Y como a franjas traidas
110 ha ordenado que os abrasen
para sacaros el oro
que no ai demonio que os saque
Que ella se tendra quidado
. . . .
115 en llegando a los cinquenta
de embiar quien os despache
Yo que lo pregono soi
otro viejo miserable [9]
que del sepulcro de viejas
120 mi dicha quiso librarme.[10]

AQUI SE CONTIENE VNA XACARA NUEUA DE VN DESAFIO QUE TUUIERON
EL MELLADO Y EL MULATO SOBRE QUIEN ERA MEJOR OFICIAL
DE LA VÑA DONDE DECLARA LA COMPETENCIA QUE TUUIERON,
Y LAS AMISTADES QUE AJUSTARON. COMPUESTA POR
MIGUEL LOPEZ DE HONRUBIA

Riñeron el otro dia
el mellado, y el mulato
sobre qual dellos estaba
en hurtar mas graduado
5 Cada vno dio sus razones
y assi ninguna olbidaron
porque an tenido en la vña
siempre los dos estos actos

9. Corregido por el censor. Decía: *Vn Laçaro miserable.*
10. Corregido por el censor. Decía: *Quiso Dios resucitarme.*

Dixo el mellado que has echo
10 que te opones a este brazo
quando an sido raterias
en lo que te has ocupado
No soy quien a un garitero?
vnos pessos le he quitado
15 y aunque todo lo gaste
el aun lo queda contando
Y tu de aquesso te alabas
respondio, no te encerraron
y muy caro te costo
20 aunque era todo barato
Si fuera quando yo hurte
a un pastor todo el rebaño
verdad es que no vbo plata
pero vellon llebe arto
25 Esso no cuentes por hurto
diç que respondio el mellado
que aunque diçes que lo hurtaste
es cierto que fue ganado
Yo quite a unos caminantes
30 las mulas y sin empacho
me pusse a empeçallo entonzes
pero despues a acaballo
Y por esso me prendieron
por ver si podian hallarlos
35 y yendo yo alli presente
vi como iban pregonando
Yo no se quantos me dieron
porque no quise contarlos
bine ves no hize casso dello
40 pues a la espalda lo he echado
Y assi no puedo sufrir
que te antepongas mulato
quando tengo en las espaldas
fe dello en papel sellado
45 A todo esto respondio
muy colerico el mulato
lo que yo he tenido siempre
lo he ganado por mis manos

Aquesta capa quite
50 y aqueste vestido he hurtado
que yo en comer ni en vestir
jamas he gastado vn quarto
    Y aun hasta el nombre no es mio
que yo me llamo el mulato
55 y aora me llaman mendoza
y asta el mendoza es hurtado
    respondio eres eminente
y eres grande ofiçialazo
pero yo ya soy maestro
60 por lo bien acuchillado
    A mi nadie me prefiere
diçe el sombrero bajando
tuerzen la boca y se miran
las espadas empuñando
65   Tiranse desde vna legua
llueben brabos vrgonazos
pero aunque brabos parezen
ninguno dellos es brabo
    Al ruido llega la gente
70 y entre otros entra tirando
vn zurdo lindos rebesses
y vn rastrero buenos tajos
    No se hizieron de rogar
que lo estaban deseando
75 y fueron a la taberna
a aguar la pendençia vn rato
    Bebieron famossamente
y al zurdo le combidaron
y quedaron con aquesto
80 amigos aun mas que hermanos.

ÍNDICE DE NOMBRES

ÍNDICE DE PRIMEROS VERSOS

ÍNDICE

ÍNDICE

Director: Francisco Rico